“深入学习习近平关于教育的重要论述”
课 题 组

组　长：陈宝生

成　员：（以姓氏笔画为序）

王炳林　王嘉毅　邓传淮　石中英　田慧生
冯　刚　朱永新　刘贵芹　杨银付　辛广伟
闵维方　宋德民　张　力　张志勇　陈子季
周作宇　周洪宇　顾明远　曾天山　赖德胜
翟　博　魏士强　瞿振元

深入学习
习近平关于教育的重要论述

教育部课题组

人民出版社

序　言

教育部党组书记、部长　陈宝生

党的十八大以来，以习近平同志为核心的党中央高度重视教育事业在坚持和发展中国特色社会主义战略全局中的地位和作用，把教育摆在优先发展战略位置，全面加强党对教育工作的领导，提出了一系列新理念新思想新观点，系统回答了教育工作的方向性、根本性、全局性、战略性问题，形成了习近平总书记关于教育的重要论述，为做好新时代教育工作提供了根本遵循和行动指南。党的教育理论进入一个丰收期，教育事业发展进入一个加速期。正是教育理论的创新，指导和推动了教育事业的快速发展。

习近平总书记关于教育的重要论述，是习近平新时代中国特色社会主义思想的重要组成部分，是中国特色社会主义教育理论发展的最新成果，形成了科学系统的新时代中国特色社会主义教育理论体系，开辟了马克思主义教育理论和实践发展的新境界。教育系统要持续深入学习贯彻习近平总书记关于教育的重要论述，深刻领会其时代背景、科学体系、精神实质，深刻理解其政治意义、理论意义、实践意义，切实增强责任感、使命感，努力开创新时代教育改革发展新局面。

深入学习贯彻习近平总书记关于教育的重要论述，要把握好以下几个方面：

第一，切实提高政治站位，深入学习领会和全面准确把握科学内涵和精神实质。党的十八大以来，习近平总书记多次深入大中小学和幼儿园考察并同师生座谈，多次主持会议审议教育重大议题，多次发贺信写回信，就教育改革发展发表一系列重要讲话，作出一系列指示批示。习近平总书记在全国教育大会上发表的重要讲话，强调要坚持党对教育事业的全面领导，坚持把立德树人作为根本任务，坚持优先发展教育事业，坚持社会主义办学方向，坚持扎根中国大地办教育，坚持以人民为中心发展教育，坚持深化教育改革创新，坚持把服务中华民族伟大复兴作为教育的重要使命，坚持把教师队伍建设作为基础工作。习近平总书记在学校思想政治理论课教师座谈会上指出，新时代贯彻党的教育方针，要坚持马克思主义指导地位，贯彻新时代中国特色社会主义思想，坚持社会主义办学方向，落实立德树人的根本任务，坚持教育为人民服务、为中国共产党治国理政服务、为巩固和发展中国特色社会主义制度服务、为改革开放和社会主义现代化建设服务，扎根中国大地办教育，同生产劳动和社会实践相结合。要深入学习习近平总书记关于教育的重要论述，深刻理解和把握“九个坚持”，切实增强“四个意识”，牢固树立“四个自信”，坚决做到“两个维护”，着力提升办好新时代中国特色社会主义教育的思想自觉和行动自觉。

要形成体系学。坚持把学习贯彻习近平总书记在全国教育大会上的重要讲话与在学校思想政治理论课教师座谈会上的重要讲话、在全国高校思想政治工作会议上的重要讲话、在北京大学师生座谈会上的重要讲话等结合学、打通学、融会学，深刻理解科学内涵和精髓要义。要带着问题学。坚持问题导向，抓住工作关键，聚焦中央关心、百姓关切、社会关注的教育热点难点问题，结合工作岗位和思想实际，深入学习研讨，确保学习往心里走、往实里走。要掌握方法学。通过学习着力掌握贯穿其中的坚定信仰信念、鲜明人民立场、强烈历史担当、求真务实作风、勇于创新精神和科学方法论，全面增强学习本领、政治领导本领、改革创新本领、科学发展本领、依法执政本领、群众工作本领、狠抓落实本领、驾驭风险本领。

第二，落实教育优先发展战略，加快建设教育强国，办好人民满意的教育。教育是国之大计、党之大计，是民族振兴、社会进步的重要基石，是功在当代、利在千秋的德政工程，对提高人民综合素质、促进人的全面发展、增强中华民族创新创造活力、实现中华民族伟大复兴具有决定性意义。党的十八大以来，以习近平同志为核心的党中央坚持“教育第一”，不断加大投资于人的力度，努力让每个孩子享有受教育的机会，努力让13亿人民享受更好更公平的教育，获得发展自身、奉献社会、造福人民的能力。党的十九大强调，必须把教育事业放在优先位置，深化教育改革，加快教育现代化，办好人民满意的教育。在全国教育大会上，习近平总书记深刻指出，坚持把优先发展教育事业作为推动党和国家各项事业发展的重要先手棋，不断使教育同党和国家事业发展要求相适应、同人民群众期待相契合、同我国综合国力和国际地位相匹配。今天，我们比历史上任何时期都更接近实现中华民族伟大复兴的目标，必须通过优先发展教育，把人口中蕴藏的智慧资源挖掘出来，转化为巨大的人才资源优势。

要坚定不移落实教育优先发展战略，推动各地各部门落实优先发展教育的责任，在组织领导、发展规划、资源保障上把教育事业摆在优先发展地位，做到经济社会发展规划优先安排教育发展、财政资金投入优先保障教育投入、公共资源配置优先满足教育和人力资源开发需要。

第三，落实立德树人根本任务，培养德智体美劳全面发展的社会主义建设者和接班人。我们办的是社会主义教育，培养的是社会主义建设者和接班人。习近平总书记在北京大学师生座谈会上强调要培养社会主义建设者和接班人。在全国教育大会上，习近平总书记深刻指出，培养什么人，是教育的首要问题。我国是中国共产党领导的社会主义国家，这就决定了我们的教育必须把培养社会主义建设者和接班人作为根本任务，培养一代又一代拥护中国共产党领导和我国社会主义制度、立志为中国特色社会主义奋斗终身的有用人才。这是教育工作的根本任务，也是教育现代化的方向目标。

要实施新时代立德树人工程，深入推动习近平新时代中国特色社会主义思想进教材进课堂进头脑，构建德智体美劳全面培养的教育体系和更高水平的人才培养体系，健全家庭、学校、政府、社会协同育人机制，形成全员育人、全程育人、全方位育人的格局。要着力在坚定理想信念、厚植爱国主义情怀、加强品德修养、增长知识见识、培养奋斗精神、增强综合素质上下功夫，培养担当民族复兴大任的时代新人。要树立健康第一的教育理念，开齐开足体育课，帮助学生在体育锻炼中享受乐趣、增强体质、健全人格、锤炼意志。要全面加强和改进学校美育，坚持以美育人、以文化人，提高学生审美和人文素养。要在学生中弘扬劳动精神，教育引导学生崇尚劳动、尊重劳动，懂得劳动最光荣、劳动最崇高、劳动最伟大、劳动最美丽的道理，长大后能够辛勤劳动、诚实劳动、创造性劳动。

第四，把教师队伍建设作为基础工作，建设一支宏大的高素质专业化教师队伍。教师是教育发展的第一资源，习近平总书记高度重视教师队伍建设，提出了"四有"好老师、"四个引路人"、"四个相统一"等一系列要求，为教师队伍建设指明了方向。习近平总书记深刻指出，教师是人类灵魂的工程师，是人类文明的传承者，承载着传播知识、传播思想、传播真理，塑造灵魂、塑造生命、塑造新人的时代重任。习近平总书记对学校思想政治理论课教师提出明确要求，强调政治要强、情怀要深、思维要新、视野要广、自律要严、人格要正。我们要把全面加强教师队伍建设作为一项重大政治任务和根本性民生工程，建设一支政治素质过硬、业务能力精湛、育人水平高超的高素质教师队伍。

要把师德师风作为评价教师队伍素质的第一标准，健全师德师风建设长效机制。实施教师教育振兴行动计划，提高教师专业素质能力。教育投入要更多向教师倾斜，不断提高教师待遇，确保教师工资待遇落实到位。大力弘扬尊师重教的社会风尚，努力提高教师政治地位、社会地位、职业地位，让广大教师安心从教、热心从教。

第五，坚持把改革作为根本动力，以改革激发教育事业发展的生机活力。改革是决定当代中国命运的关键一招，是教育发展的强大动力。党的十八大以来，教育领域综合改革全面深入推进，已从“立柱架梁”进入到“内部装修”阶段。在全国教育大会上，习近平总书记深刻指出，坚决克服唯分数、唯升学、唯文凭、唯论文、唯帽子的顽瘴痼疾，从根本上解决教育评价指挥棒问题，坚决破除制约教育事业发展的体制机制障碍，充分激发教育事业发展生机活力。这些重要论述，贯穿着强烈的改革创新精神，明确了教育改革的重要领域和关键环节。

要以高质量发展为根本要求，深化教育领域综合改革，系统深化育人方式、办学模式、管理体制、保障机制改革，着力形成充满活力、富有效率、更加开放、有利于高质量发展的教育体制机制。坚决克服“五唯”顽瘴痼疾，切实扭转不科学的教育评价导向。调整优化高校区域布局、学科结构、专业设置，加快一流大学和一流学科建设，强化职业教育产教融合、校企合作，提升教育服务经济社会发展能力。扩大教育对外开放，开展高水平合作办学，提升我国教育世界影响力。

第六，毫不动摇加强党对教育工作的全面领导，坚定不移走中国特色社会主义教育发展道路。中国特色社会主义最本质的特征是中国共产党领导，中国特色社会主义制度的最大优势是中国共产党的领导。在全国教育大会上，习近平总书记指出，加强党对教育工作的全面领导，是办好教育的根本保证。2018 年，中央成立了教育工作领导小组，进一步加强对教育工作的领导，进一步加强学校思想政治工作、意识形态工作，进一步加强教育重大理论和实践问题的统筹和决策。

教育部门和各级各类学校的党组织要坚定不移维护党中央权威和集中统一领导，自觉在政治立场、政治方向、政治原则、政治道路上同党中央保持高度一致。各级教育部门党组织要切实履行好管党治党主体责任，加强各级各类学校党的领导和党的建设工作，保证党的路线方针政策不折不扣得到贯彻执行。各级各类学校党组织要把抓好党建工作作为办学治校基本功，把党的教育方针全面贯彻到学校工作各方面。充分发挥基层党组织作用，使基层党组织成为师生最贴心、最信赖的组织依靠，成为学校教书育人的坚强战斗堡垒。加强学校思想政治工作，牢牢把握意识形态工作领导权，维护政治安全和校园稳定。深入推进全面从严治党和反腐败斗争，加强党员日常教育管理，持之以恒落实中央八项规定精神，营造风清气正的良好政治生态。

习近平总书记关于教育的重要论述，为新时代我国教育事业描绘了蓝图、指明了方向。为深入学习和研究阐释习近平总书记关于教育的重要论述，更好地指导中国教育改革发展的实践，教育部专门成立课题组，对习近平总书记党的十八大以来的相关论述进行了系统梳理，力求全面、深入、系统地研究和解读，在此基础上形成了本书，这是学习研究习近平总书记关于教育的重要论述的阶段性成果。我们要在深入学习习近平新时代中国特色社会主义思想和党的十九大精神基础上，不断深化对习近平总书记关于教育的重要论述的学习研究，加快推进教育现代化，建设教育强国，努力办好人民满意的教育，为实现“两个一百年”奋斗目标和中华民族伟大复兴中国梦提供坚实基础和有力支撑。

目　录

导　言

时代是思想之母，实践是理论之源。习近平总书记在党的十九大报告中庄严宣告:“经过长期努力，中国特色社会主义进入了新时代，这是我国发展新的历史方位。”“这个新时代，是承前启后、继往开来、在新的历史条件下继续夺取中国特色社会主义伟大胜利的时代，是决胜全面建成小康社会、进而全面建设社会主义现代化强国的时代，是全国各族人民团结奋斗、不断创造美好生活、逐步实现全体人民共同富裕的时代，是全体中华儿女勠力同心、奋力实现中华民族伟大复兴中国梦的时代，是我国日益走近世界舞台中央、不断为人类作出更大贡献的时代。”① 党的十九大高举中国特色社会主义伟大旗帜，把习近平新时代中国特色社会主义思想写入党章，确立为党必须长期坚持的指导思想，作出了中国特色社会主义进入了新时代、我国社会主要矛盾已经转化为人民日益增长的美好生活需要和不平衡不充分的发展之间的矛盾等重大政治论断，深刻阐述了新时代中国共产党的历史使

---

① 习近平:《决胜全面建成小康社会　夺取新时代中国特色社会主义伟大胜利——在中国共产党第十九次全国代表大会上的报告》,《人民日报》2017 年 10 月 28 日。

命，提出了新时代坚持和发展中国特色社会主义的基本方略，确定了决胜全面建成小康社会、开启全面建设社会主义现代化国家新征程的目标，对新时代推进中国特色社会主义伟大事业和党的建设新的伟大工程作出了全面部署，指明了党和国家事业的前进方向，是我们党团结带领全国各族人民在新时代坚持和发展中国特色社会主义的政治宣言和行动纲领。

教育是党的事业发展的重要保证，是国家兴旺发达的根本基石，是民族振兴的奠基工程。党的教育思想，集中体现于党的教育方针、聚焦于办学方向，反映了实现“两个一百年”奋斗目标和中华民族伟大复兴中国梦的宏伟设想，其集大成者是习近平总书记关于教育的重要论述。习近平总书记关于教育的重要论述，传承了中华优秀传统教育思想，借鉴了当今世界优秀教育成果，总结了我们党领导教育工作的历史经验，是马克思主义教育理论的丰富和发展，是党的创新理论的重要组成部分，是推动我国教育事业改革发展的根本遵循。①

习近平总书记在党的十九大报告中对教育工作作出了全面部署，明确提出社会主义教育事业的总方向，重申“优先发展教育事业”的总战略，首次明确提出“建设教育强国是中华民族伟大复兴的基础工程”的总定位，明确了“深化教育改革，加快教育现代化，办好人民满意的教育”的总要求，明确了“全面贯彻党的教育方针，落实立德树人根本任务，发展素质教育，推进教育公平，培养德智体美全面发展的社会主义建设者和接班人”的总任务，全面部署了教育事业发展新任务新要求。党的十八大以来，习近平总书记在领导全党和全国人

① 陈宝生：《切实推动高校思想政治工作创新发展——深入学习贯彻习近平总书记教育工作重要讲话精神》，《光明日报》2017年8月4日。

民开创中国特色社会主义新时代的伟大实践中，始终把教育工作摆在突出位置，在多次考察教育发展和学校办学情况以及在国内外多个重要会议上，对教育工作发表了一系列重要讲话，深刻论述了教育的方向性、全局性、前瞻性、战略性重大问题，深刻论述了新时代我国教育改革和发展的重大理论问题和实践问题，形成了系统科学的新时代中国特色社会主义教育理论体系。

深入学习习近平总书记关于教育的重要论述，最重要的是把握其科学内涵和精神实质。习近平总书记在全国教育大会上提出的“九个坚持”，是坚持中国特色社会主义教育发展道路的核心实质、丰富内涵和重要体现，形成了办好中国特色社会主义教育事业必须始终坚持的“九个原则”。习近平总书记强调，“九个坚持”是我们对我国教育事业规律性认识的深化，来之不易，要始终坚持并不断丰富发展。① 这标志着我们党对教育发展规律的认识达到了新高度，我们必须深入学习领会，并不断丰富发展。

习近平总书记关于教育的重要论述，内涵丰富、思想深邃、博大精深，展现出长远的战略高度、历史深度、全球广度。它既根植于中华民族崇文重教的优良传统，又体现了中国特色社会主义进入新时代的鲜明特征，是马克思主义基本原理与中国教育实践相结合的重大理论结晶，是习近平新时代中国特色社会主义思想的重要组成部分，为加快推进教育现代化、建设教育强国、办好人民满意的教育提供了强大思想武器和行动指南。

习近平总书记关于教育的重要论述，站在历史与现实、中国与世

① 《习近平在全国教育大会上强调 坚持中国特色社会主义教育发展道路 培养德智体美劳全面发展的社会主义建设者和接班人》，《人民日报》2018 年 9 月 11 日。

界、社会家庭与学校、教育与人的成长等的战略高度，立足现实需要，深刻地指出了教育的根本作用、根本目标、根本任务、根本保证等本质特征，深刻地阐明了“教育优先发展”的一系列战略性问题，深刻地回答了学校“培养什么样的人、怎样培养人、为谁培养人”这一根本性问题，“办什么样的教育、怎样办教育、为谁办教育”这一方向性问题，“培养什么样的教师、怎样培养教师”这一关键性问题，为中国特色社会主义教育事业发展指明了方向，为新时代我国教育改革发展提供了根本遵循。

（一）坚持党对教育事业的全面领导，是办好我国教育事业的根本保证。党的领导是引领新时代中国特色社会主义教育事业不断前进的最大政治优势，是办好中国特色、世界水平的现代教育的根本政治保证。办好中国的事情，关键在党。中国特色社会主义最本质的特征就是坚持中国共产党的领导。① 习近平总书记强调，加强党的领导和党的建设，加强思想政治工作体系建设，是形成高水平人才培养体系的重要内容。② 并将“坚持党对教育事业的全面领导”列于“九个坚持”之首。③

（二）坚持把立德树人作为根本任务，是办好我国教育事业的根本方针。党的十八大以来，习近平总书记多次走进大中小学，在与师生座谈时多次深入阐述立德树人的重要意义。党的十九大报告提出：

---

① 习近平：《在庆祝中国共产党成立 95 周年大会上的讲话》，《人民日报》2016 年 7 月 2 日。

② 习近平：《在北京大学师生座谈会上的讲话》，《人民日报》2018 年 5 月 3 日。

③ 《习近平在全国教育大会上强调　坚持中国特色社会主义教育发展道路　培养德智体美劳全面发展的社会主义建设者和接班人》，《人民日报》2018 年 9 月 11 日。

“要全面贯彻党的教育方针，落实立德树人根本任务，发展素质教育，推进教育公平，培养德智体美全面发展的社会主义建设者和接班人。”① 习近平总书记在全国教育大会上强调，要深化教育体制改革，健全立德树人落实机制。②

（三）坚持优先发展教育事业，是办好我国教育事业的战略部署。习近平主席在联合国“教育第一”全球倡议行动一周年纪念活动上发表视频贺词，向世界宣告，中国将坚定实施科教兴国战略，始终把教育摆在优先发展的战略位置。③ 党的十九大报告明确指出：“优先发展教育事业。”④ 习近平总书记在全国教育大会上进一步强调，坚持优先发展教育事业。⑤

（四）坚持社会主义办学方向，是办好我国教育事业的根本方向。办好中国特色社会主义教育，最重要的就是在事关办学方向的问题上站稳立场。习近平总书记指出：“古今中外，每个国家都是按照自己的政治要求来培养人的，世界一流大学都是在服务自己国家发展中成长起来的。我国社会主义教育就是要培养社会主义建设者和接班人。”⑥

---

① 习近平：《决胜全面建成小康社会　夺取新时代中国特色社会主义伟大胜利——在中国共产党第十九次全国代表大会上的报告》，《人民日报》2017 年 10 月 28 日。

② 《习近平在全国教育大会上强调　坚持中国特色社会主义教育发展道路　培养德智体美劳全面发展的社会主义建设者和接班人》，《人民日报》2018 年 9 月 11 日。

③ 《习近平主席在联合国“教育第一”全球倡议行动一周年纪念活动上发表视频贺词》，《人民日报》2013 年 9 月 27 日。

④ 习近平：《决胜全面建成小康社会　夺取新时代中国特色社会主义伟大胜利——在中国共产党第十九次全国代表大会上的报告》，《人民日报》2017 年 10 月 28 日。

⑤ 《习近平在全国教育大会上强调　坚持中国特色社会主义教育发展道路　培养德智体美劳全面发展的社会主义建设者和接班人》，《人民日报》2018 年 9 月 11 日。

⑥ 习近平：《在北京大学师生座谈会上的讲话》，《人民日报》2018 年 5 月 3 日。

习近平总书记强调，要在党的坚强领导下，全面贯彻党的教育方针，坚持马克思主义指导地位，坚持中国特色社会主义教育发展道路，坚持社会主义办学方向。①

（五）坚持扎根中国大地办教育，是我国教育事业的发展道路和基本特色。我国必须走适合自己国情的教育发展道路，这是实现我国教育科学发展的内在要求。习近平总书记强调，扎根中国大地办教育，走中国特色社会主义教育发展道路。② 习近平总书记指出，我国有独特的历史、独特的文化、独特的国情，决定了我国必须走自己的高等教育发展道路，扎实办好中国特色社会主义高校。③

（六）坚持以人民为中心发展教育，是办好我国教育事业的价值追求。以人民为中心发展教育，是党的十八大以来习近平总书记关于教育的重要论述中的重要内容。坚持以人民为中心发展教育，既是党"以人民为中心的发展思想"的重要体现，也是党执政为民的内在要求。习近平总书记关于教育的重要论述，充分体现了我们党全心全意为人民服务的根本宗旨，体现出深刻的为民情怀，彰显了人民至上的价值取向。习近平总书记指出，"人民对美好生活的向往，就是我们的奋斗目标"。④ 党的十九大报告把坚持以人民为中心作为新时代坚持

① 《习近平在全国教育大会上强调　坚持中国特色社会主义教育发展道路　培养德智体美劳全面发展的社会主义建设者和接班人》，《人民日报》2018 年 9 月 11 日。

② 《习近平在全国教育大会上强调　坚持中国特色社会主义教育发展道路　培养德智体美劳全面发展的社会主义建设者和接班人》，《人民日报》2018 年 9 月 11 日。

③ 《习近平在全国高校思想政治工作会议上强调　把思想政治工作贯穿教育教学全过程　开创我国高等教育事业发展新局面》，《人民日报》2016 年 12 月 9 日。

④ 《习近平在十八届中共中央政治局常委同中外记者见面时强调　人民对美好生活的向往就是我们的奋斗目标》，《人民日报》2012 年 11 月 16 日。

和发展中国特色社会主义的重要内容。

（七）坚持深化教育改革创新，是办好我国教育事业的根本要求和动力。坚持全面深化改革，是新时代中国特色社会主义的鲜明特征。习近平总书记指出，“继续大力推动教育改革发展，使我国教育越办越好、越办越强”。① 习近平总书记强调，教育改革要坚持文化自信，好的经验要坚持，不足的要补齐。②

（八）坚持把服务中华民族伟大复兴作为教育的重要使命，是我国教育事业的神圣责任。深入学习贯彻习近平总书记关于教育的重要论述，就要将教育使命和中华民族伟大复兴紧密结合在一起，要认清历史方位、把握国际坐标、立足中国现实，在复兴路上助力复兴，为伟大复兴贡献智慧力量。习近平总书记指出，坚持把服务中华民族伟大复兴作为教育的重要使命。③ 习近平总书记强调，高等教育要为人民服务，为中国共产党治国理政服务，为巩固和发展中国特色社会主义制度服务，为改革开放和社会主义现代化建设服务。④

（九）坚持把教师队伍建设作为基础工作，是办好我国教育事业的重要保障。教育大计，教师为本。习近平总书记非常重视教师的作用，重视教师队伍建设，指出“教师是立教之本、兴教之源，承担着

① 习近平：《做党和人民满意的好老师——同北京师范大学师生代表座谈时的讲话》，《人民日报》2014 年 9 月 10 日。

② 《习近平在北京市八一学校考察时强调 全面贯彻落实党的教育方针 努力把我国基础教育越办越好》，《人民日报》2016 年 9 月 10 日。

③ 《习近平在全国教育大会上强调 坚持中国特色社会主义教育发展道路 培养德智体美劳全面发展的社会主义建设者和接班人》，《人民日报》2018 年 9 月 11 日。

④ 《习近平在全国高校思想政治工作会议上强调 把思想政治工作贯穿教育教学全过程 开创我国高等教育事业发展新局面》，《人民日报》2016 年 12 月 9 日。

让每个孩子健康成长、办好人民满意教育的重任”。[①] 人民教师无上光荣，教师是人类灵魂的工程师，是人类文明的传承者，承载着传播知识、传播思想、传播真理，塑造灵魂、塑造生命、塑造新人的时代重任。[②] 思政课教师，要给学生心灵埋下真善美的种子，引导学生扣好人生第一粒扣子。[③] 习近平总书记强调，坚持把教师队伍建设作为基础工作。[④]

（十）加快教育现代化，是我国教育事业发展的总要求和目标。建设具有中国特色、世界水平的现代教育，是中国特色社会主义迈入新时代的重要使命。习近平总书记明确提出了“建设世界一流大学”、“办好中国的世界一流大学”、[⑤]“办好中国特色社会主义大学”[⑥] 的战略任务。习近平总书记强调，牢固树立终身学习理念，坚持不懈推进教育信息化。要求构建网络化、数字化、个性化、终身化的教育体系，建设“人人皆学、处处能学、时时可学”的学习型社会。[⑦]

---

① 《习近平向全国广大教师致慰问信》，《人民日报》2013 年 9 月 10 日。

② 《习近平在全国教育大会上强调　坚持中国特色社会主义教育发展道路　培养德智体美劳全面发展的社会主义建设者和接班人》，《人民日报》2018 年 9 月 11 日。

③ 《习近平主持召开学校思想政治理论课教师座谈会强调　用新时代中国特色社会主义思想铸魂育人　贯彻党的教育方针落实立德树人根本任务》，《人民日报》2019 年 3 月 19 日。

④ 《习近平主持召开学校思想政治理论课教师座谈会强调　用新时代中国特色社会主义思想铸魂育人　贯彻党的教育方针落实立德树人根本任务》，《人民日报》2019 年 3 月 19 日。

⑤ 习近平：《青年要自觉践行社会主义核心价值观——在北京大学师生座谈会上的讲话》，《人民日报》2014 年 5 月 5 日。

⑥ 《习近平在全国高校思想政治工作会议上强调　把思想政治工作贯穿教育教学全过程　开创我国高等教育事业发展新局面》，《人民日报》2016 年 12 月 9 日。

⑦ 《习近平致国际教育信息化大会的贺信》，《人民日报》2015 年 5 月 24 日。

（十一）建设教育强国，是中华民族伟大复兴的基础工程。教育强国战略，是在贯彻落实党中央“五位一体”总体布局、“四个全面”战略布局，决胜全面建成小康社会、夺取新时代中国特色社会主义伟大胜利、实现中华民族伟大复兴中国梦的重要历史背景下，我国教育改革发展的核心理念和总体方向。党的十九大报告明确提出：“建设教育强国是中华民族伟大复兴的基础工程”①。

（十二）办好人民满意的教育，是办好我国教育事业的根本出发点。教育是民生之首，是为人民服务的重要内容。“人民是阅卷人”，坚持以人民为中心发展教育，要以人民满意为尺度。在党的十九大报告中，习近平总书记将“办好人民满意的教育”作为教育事业发展的方向和目标。

（十三）推进教育公平，是我国教育改革发展的重要任务。教育公平是社会公平的基础，要以教育公平促进社会公平正义。习近平总书记强调，要努力让每个孩子享有受教育的机会，努力让13亿人民享有更好更公平的教育。②

（十四）提高教育质量，是我国教育改革发展的核心任务。我们要以质量为本，把标准建立起来，把责任落实下去，把机制完善起来，推动教育事业进入提质增效的轨道。习近平总书记深刻指出，要深化教育改革，推进素质教育，创新教育方法，提高人才培养质量。③

① 习近平：《决胜全面建成小康社会 夺取新时代中国特色社会主义伟大胜利——在中国共产党第十九次全国代表大会上的报告》，《人民日报》2017年10月28日。

② 《习近平主席在联合国“教育第一”全球倡议行动一周年纪念活动上发表视频贺词》，《人民日报》2013年9月27日。

③ 《习近平在中共中央政治局第九次集体学习时强调 敏锐把握世界科技创新发展趋势 切实把创新驱动发展战略实施好》，《人民日报》2013年10月2日。

习近平总书记强调，要努力构建德智体美劳全面培养的教育体系，形成更高水平的人才培养体系。①

（十五）社会主义核心价值观，是当代中国精神的集中体现，凝结着全体人民共同的价值追求。习近平总书记对于社会主义核心价值观及其学习、践行和教育问题的论述，无论是对于习近平新时代中国特色社会主义思想体系建设，还是对于新时代中国特色社会主义教育体系的完善，都具有重大意义。学习、践行和开展社会主义核心价值观教育，是一项系统工程。习近平总书记要求，社会主义核心价值观教育要从少年儿童抓起，深刻指出："青年要从现在做起、从自己做起，使社会主义核心价值观成为自己的基本遵循，并身体力行大力将其推广到全社会去。"② 习近平总书记强调，要在加强品德修养上下功夫，教育引导学生培育和践行社会主义核心价值观，踏踏实实修好品德，成为有大爱大德大情怀的人。③

（十六）中华优秀传统文化，是涵养社会主义核心价值观的重要源泉。党的十八大以来，习近平总书记在一系列讲话中深刻阐述了中华优秀传统文化在中华民族发展中的重大作用、深刻内涵、深远影响。习近平总书记指出，中华文化源远流长，积淀着中华民族最深层的精神追求，代表着中华民族独特的精神标识，为中华民族生生不息、发

① 《习近平在全国教育大会上强调　坚持中国特色社会主义教育发展道路　培养德智体美劳全面发展的社会主义建设者和接班人》，《人民日报》2018 年 9 月 11 日。

② 习近平：《青年要自觉践行社会主义核心价值观——在北京大学师生座谈会上的讲话》，《人民日报》2014 年 5 月 5 日。

③ 《习近平在全国教育大会上强调　坚持中国特色社会主义教育发展道路　培养德智体美劳全面发展的社会主义建设者和接班人》，《人民日报》2018 年 9 月 11 日。

展壮大提供了丰厚滋养。[①] 要认真汲取中华优秀传统文化的思想精华和道德精髓，大力弘扬以爱国主义为核心的民族精神和以改革创新为核心的时代精神，深入挖掘和阐发中华优秀传统文化讲仁爱、重民本、守诚信、崇正义、尚和合、求大同的时代价值，使中华优秀传统文化成为涵养社会主义核心价值观的重要源泉。[②] 大力弘扬中华优秀传统文化，是一项长期而艰巨的重大历史任务，在广大青少年中加强中华优秀传统文化教育，更加具有重要的时代价值和长远的战略意义。

（十七）教育对外开放，是我国改革开放事业的重要组成部分。新时代要构建教育开放新格局，全面提升国际交流合作水平，推动我国同其他国家学历学位互认、标准互通、经验互鉴。习近平总书记主持召开十八届中央全面深化改革领导小组第十九次会议，审议通过了《关于做好新时期教育对外开放工作的若干意见》。会议强调，要服务党和国家工作大局，统筹国内国际两个大局，提升教育对外开放质量和水平。要增强服务中心工作能力，自觉服务"一带一路"建设等重大战略，推动实施创新驱动发展战略、科教兴国战略、人才强国战略。[③] 在全国教育大会上，习近平总书记强调要扩大教育开放。[④]

习近平总书记关于教育的重要论述，是我们在新形势下做好教育

---

① 《习近平在中共中央政治局第十三次集体学习时强调　把培育和弘扬社会主义核心价值观作为凝魂聚气强基固本的基础工程》，《人民日报》2014 年 2 月 26 日。

② 《习近平在中共中央政治局第十三次集体学习时强调　把培育和弘扬社会主义核心价值观作为凝魂聚气强基固本的基础工程》，《人民日报》2014 年 2 月 26 日。

③ 《习近平主持召开中央全面深化改革领导小组第十九次会议　改革要向全面建成小康社会目标聚焦　扭住关键精准发力严明责任狠抓落实》，《人民日报》2015年12月10日。

④ 《习近平在全国教育大会上强调　坚持中国特色社会主义教育发展道路　培养德智体美劳全面发展的社会主义建设者和接班人》，《人民日报》2018 年 9 月 11 日。

工作的行动指南。深入学习贯彻习近平新时代中国特色社会主义思想，深刻领会习近平总书记关于教育的重要论述的重大意义、思想内涵和精神实质，对于我们落实立德树人根本任务，引导广大教育工作者和广大青少年，坚持道路自信、理论自信、制度自信、文化自信，培育和践行社会主义核心价值观，实现中华民族伟大复兴中国梦，都具有长远的战略意义和重要的时代价值；对于建设中国特色社会主义教育理论体系，指导我国教育事业的改革发展，具有重要意义。

本书紧密围绕党的十八大以来习近平总书记一系列重要讲话精神，比较全面、系统地学习解读了习近平总书记关于教育的重要论述的思想内涵、理论主张、精神实质和实践要求，对于我们深入学习、深刻领会和贯彻落实习近平总书记关于教育的重要论述，具有重要的指导意义和促进作用。

本书以习近平总书记在全国教育大会上的重要讲话高度概括的“九个坚持”为统领，比较完整地体现了习近平新时代中国特色社会主义教育理论体系，是学习习近平关于教育的重要论述的带有集大成式的学习读本。本书除序言、导言外，具体内容包括五大部分十八个专题：第一部分，总论，内容为以习近平总书记关于教育的重要论述指引中国教育前进方向。第二部分，核心内涵，即“九个坚持”，内容包括第一至九章，坚持党对教育事业的全面领导、坚持把立德树人作为根本任务、坚持优先发展教育事业、坚持社会主义办学方向、坚持扎根中国大地办教育、坚持以人民为中心发展教育、坚持深化教育改革创新、坚持把服务中华民族伟大复兴作为教育的重要使命、坚持把教师队伍建设作为基础工作。第三部分，总战略和目标任务，内容包括第十至十四章，加快教育现代化、建设教育强国、办好人民满意的教育、推进教育公平、全面提高教育质量。第四部分，与立德树人根本任务相关的重要内容，内容包括第十五、十六章，培育和践行社会主义核心价值观、加强中华优秀传统文化教育。第五部分，对外开放，内容为第十七章，扩大教育对外开放。

教育是国之大计、党之大计。深入学习贯彻党的十九大精神，把习近平新时代中国特色社会主义思想转化为优先发展教育事业的生动实践，是教育工作的重要任务。深入学习贯彻习近平总书记关于教育的重要论述，必须牢固树立政治意识、大局意识、核心意识、看齐意识，在政治立场、政治方向、政治原则、政治道路上同以习近平同志为核心的党中央保持高度一致，自觉维护以习近平同志为核心的党中央的权威和集中统一领导；必须大力弘扬马克思主义学风，切实提高推动发展、解决问题的能力，坚定自觉地把党中央各项决策部署落到实处；必须自觉用习近平新时代中国特色社会主义思想武装头脑、指导实践、推动工作，全面贯彻党的教育方针，落实立德树人根本任务，办好中国特色社会主义教育。

总　论

以习近平总书记关于教育的重要论述指引中国教育前进方向

教育是民族振兴、社会进步的重要基石，是功在当代、利在千秋的德政工程，对提高人民综合素质、促进人的全面发展、增强中华民族创新创造活力、实现中华民族伟大复兴具有决定性意义。教育是国之大计、党之大计。

——习近平总书记在全国教育大会上的讲话

习近平总书记关于教育的重要论述是习近平新时代中国特色社会主义思想的重要组成部分，是治国理政的重要思想内容。习近平总书记在治国理政过程中，高度重视教育在社会主义现代化建设中的地位和作用。党的十八大以来，他在各种会议上和考察学校时，对教育工作发表了一系列重要讲话，深刻论述了新时代我国教育改革和发展的重大理论问题和实践问题，形成了新时代中国特色社会主义教育理论体系。深入学习和研究习近平总书记关于教育的重要论述，对于建设中国特色的现代教育理论体系，指导我国教育事业的改革发展，具有重要的理论意义和实践意义。

一、教育本质：教育决定着人类未来

习近平总书记站在人类社会发展的高度，在致清华大学苏世民学者项目启动的贺信中提出“教育决定着人类的今天，也决定着人类的未来”的论断，[①] 精辟论述了教育对人类社会发展的重要性，具有重大意义。教育是人类社会的重要活动，担负着传承老一辈的生产经验和社会实践经验、为当代社会和未来社会培养人才的任务。正如毛泽东

① 《清华大学苏世民学者项目启动仪式在京举行》，《人民日报》2013 年 4 月 22 日。

1957 年在苏联莫斯科对中国留学生讲的："世界是你们的，也是我们的，但是归根结底是你们的。"①

当今世界风云变幻，冲突和矛盾重重，人类面临种种挑战，教育要为未来可持续发展承担责任。这是联合国教科文组织 2015 年报告《反思教育：向"全球共同利益"的理念转变?》提到的重要内容，报告提出："应将以下人文主义价值观作为教育的基础和目的：尊重生命和人格尊严，权利平等和社会正义，文化和社会多样性，以及为建设我们共同的未来而实现团结和共担责任的意识"②。

党的十八大报告指出，要"倡导人类命运共同体意识"。③ 自此之后，人类命运共同体理念频繁出现在中国外交的话语体系中，习近平总书记多次在重要外交场合详尽论述和深刻阐释这一新理念新提法。在党的十九大报告中，习近平总书记 6 次提及人类命运共同体理念。

在致清华大学苏世民学者项目启动的贺信中，习近平总书记深刻分析了世界发展的形势，论述了教育在为未来社会培养人才、促进人类和平与发展中的作用。他指出，教育应该顺此大势，通过更加密切的互动交流，促进对人类各种知识和文化的认知，对各民族现实奋斗和未来愿景的体认，以促进各国学生增进相互了解、树立世界眼光、激发创新灵感，确立为人类和平与发展贡献智慧和力量的远大志向。④ 习近平总书记的这段论述，使我们充分认识到教育的

---

① 《毛主席会见留苏学生》，《人民日报》1957 年 11 月 20 日。

② 《反思教育：向"全球共同利益"的理念转变?》，联合国教科文组织 2015 年中文版，第 38 页。

③ 胡锦涛：《坚定不移沿着中国特色社会主义道路前进　为全面建成小康社会而奋斗——在中国共产党第十八次全国代表大会上的报告》，《人民日报》2012 年 11 月 18 日。

④ 《清华大学苏世民学者项目启动仪式在京举行》，《人民日报》2013 年 4 月 22 日。

本质和作用。教育的本质就是通过传授知识、提高品德、启迪智慧，培养促进社会发展的人才，是提高每个人的生命质量、提升生命价值的重要途径。在经济全球化背景下，无论是坚持和平，还是战胜贫困、改善环境，都要依靠教育培养有远大志向、能为人类造福的人才。

二、教育战略：始终把教育摆在优先发展的战略地位

习近平总书记始终坚持把教育放在社会主义现代化建设优先发展的战略地位。他于 2013 年 9 月在联合国“教育第一”全球倡议行动一周年纪念活动上发表视频贺词时指出，中国将坚定实施科教兴国战略，始终把教育摆在优先发展的战略位置。①

习近平总书记继承和发展了党的十六大确立的科教兴国战略思想，强调教育在实现“两个一百年”奋斗目标和中华民族伟大复兴中国梦过程中的重要地位和作用。他在 2014 年教师节前夕与北京师范大学师生代表座谈时指出：“教育是提高人民综合素质、促进人的全面发展的重要途径，是民族振兴、社会进步的重要基石，是对中华民族伟大复兴具有决定性意义的事业。”② 他在党的十九大报告中指出：“优先发展教育事业。”③ 在全国教育大会上，他又一次强调，

① 《习近平主席在联合国“教育第一”全球倡议行动一周年纪念活动上发表视频贺词》，《人民日报》2013 年 9 月 27 日。

② 习近平：《做党和人民满意的好老师——同北京师范大学师生代表座谈时的讲话》，《人民日报》2014 年 9 月 10 日。

③ 习近平：《决胜全面建成小康社会　夺取新时代中国特色社会主义伟大胜利——在中国共产党第十九次全国代表大会上的报告》，《人民日报》2017 年 10 月 28 日。

坚持优先发展教育事业。①

把教育摆在优先发展的战略地位，是建设社会主义强国的需要。习近平总书记在同北京师范大学师生代表座谈时指出："当今世界的综合国力竞争，说到底是人才竞争，人才越来越成为推动经济社会发展的战略性资源，教育的基础性、先导性、全局性地位和作用更加突显。"② 因此，必须坚持把教育摆在优先发展的战略地位，普及教育，培养具有创新能力和国际视野的高品质人才。

把教育摆在优先发展的战略地位是促进教育公平、改善民生的需要。习近平总书记始终把人民群众的利益放在第一位，他在十八届中央政治局常委与中外记者的见面会上指出："人民对美好生活的向往，就是我们的奋斗目标。"③ 他在考察北京市八一学校时指出，教育公平是社会公平的重要基础，要不断促进教育发展成果更多更公平惠及全体人民，以教育公平促进社会公平正义。④

为此，党和国家始终把教育摆在优先发展的战略地位，不断扩大投入。自财政性教育经费支出达到国内生产总值的4%以后，几年来逐年增加，至2017年，全国教育经费总投入为42562.01亿元，比上年增长9.45%。其中，国家财政性教育经费达到34207.75亿元，比

---

① 《习近平在全国教育大会上强调　坚持中国特色社会主义教育发展道路　培养德智体美劳全面发展的社会主义建设者和接班人》，《人民日报》2018年9月11日。

② 习近平：《做党和人民满意的好老师——同北京师范大学师生代表座谈时的讲话》，《人民日报》2014年9月10日。

③ 《习近平在十八届中共中央政治局常委同中外记者见面时强调　人民对美好生活的向往就是我们的奋斗目标》，《人民日报》2012年11月16日。

④ 《习近平在北京市八一学校考察时强调　全面贯彻落实党的教育方针　努力把我国基础教育越办越好》，《人民日报》2016年9月10日。

上年增长8.95%。[①] 在习近平总书记关于教育的重要论述指引下，中国努力发展全民教育、终身教育，努力建设学习型社会，使13亿人民都能享受更好更公平的教育，获得自身发展和造福社会的能力，过上有尊严的幸福生活。

三、根本任务：立德树人

习近平总书记多次强调立德树人是教育的根本任务。党的十八大报告指出："全面贯彻党的教育方针，坚持教育为社会主义现代化建设服务、为人民服务，把立德树人作为教育的根本任务，培养德智体美全面发展的社会主义建设者和接班人。"[②] 党的十八大以后，习近平总书记多次走进大中小学，在与师生座谈时深入阐述了立德树人的重要意义和实施途径。

习近平总书记2013年在山东考察时指出，国无德不兴，人无德不立。[③]2013年习近平总书记在给中央民族大学附属中学学生的回信中，要求学校承担好立德树人、教书育人的神圣职责，着力培养造就中国特色社会主义事业合格建设者和接班人。[④]2016年教师节前夕，习近平总书记在与北京市八一学校师生座谈时强调，基础教育是立德树人的

---

① 《2017年全国教育事业发展统计公报》，《中国教育报》2018年7月21日。

② 胡锦涛：《坚定不移沿着中国特色社会主义道路前进　为全面建成小康社会而奋斗——在中国共产党第十八次全国代表大会上的报告》，《人民日报》2012年11月18日。

③ 《习近平在山东考察时强调　认真贯彻党的十八届三中全会精神　汇聚起全面深化改革的强大正能量》，《人民日报》2013年11月29日。

④ 《习近平总书记给中央民族大学附属中学全校学生的回信》，《人民日报》2013年10月7日。

事业，要旗帜鲜明加强思想政治教育、品德教育，加强社会主义核心价值观教育，引导学生自尊自信自立自强。[①]习近平总书记在党的十九大报告中指出：“要全面贯彻党的教育方针，落实立德树人根本任务，发展素质教育，推进教育公平，培养德智体美全面发展的社会主义建设者和接班人。”[②]习近平总书记在全国教育大会上强调，要坚持把立德树人作为根本任务，并语重心长地指出，要深化教育体制改革，健全立德树人落实机制。[③]习近平总书记在学校思想政治理论课教师座谈会上强调指出，思想政治理论课是落实立德树人根本任务的关键课程。[④]

立德树人是中华民族的优秀文化传统。中华民族在漫长的历史发展过程中，构建了一套成熟的道德价值体系，形成了丰富的个人伦理、家庭伦理、国家伦理以及宇宙伦理的道德规范体系和道德教育理论。我们党继承和发扬了中华民族崇德的传统，坚持把立德树人作为教育的根本任务。

当今时代，坚持立德树人，我们更需要加强学生的道德教育。社会的现代化带来了价值观念的冲突，一方面科学技术高速发展，日新月异，社会物质越来越丰富；另一方面社会变革风云莫测，特别是文化多元，各种思想交相融合和冲突，一些腐朽的享乐文化也随之而

---

① 《习近平在北京市八一学校考察时强调 全面贯彻落实党的教育方针 努力把我国基础教育越办越好》，《人民日报》2016 年 9 月 10 日。

② 习近平：《决胜全面建成小康社会 夺取新时代中国特色社会主义伟大胜利——在中国共产党第十九次全国代表大会上的报告》，《人民日报》2017 年 10 月 28 日。

③ 《习近平在全国教育大会上强调 坚持中国特色社会主义教育发展道路 培养德智体美劳全面发展的社会主义建设者和接班人》，《人民日报》2018 年 9 月 11 日。

④ 《习近平主持召开学校思想政治理论课教师座谈会强调 用新时代中国特色社会主义思想铸魂育人 贯彻党的教育方针落实立德树人根本任务》，《人民日报》2019 年 3 月 19 日。

来。学生正面临着这种复杂环境的挑战，如果不能树立正确的世界观、人生观、价值观，很难肩负起中华民族伟大复兴的重任。

坚持立德树人，就要把社会主义核心价值观融入学校教育全过程。习近平总书记在北京市海淀区民族小学考察时说，社会主义核心价值观体现了古圣先贤的思想，体现了仁人志士的夙愿，体现了革命先烈的理想，也寄托着各族人民对美好生活的向往。他要求社会主义核心价值观教育从少年儿童抓起，并且提出，在少年儿童中培育和践行社会主义核心价值观，要适应少年儿童的年龄和特点，主要是要做到记住要求、心有榜样、从小做起、接受帮助。① 我们要把社会主义核心价值观教育贯穿教育教学全过程。要全面加强学校的德育、智育、体育、美育和劳育工作，坚持文化知识学习与思想品德修养的统一、理论学习与社会实践的统一、全面发展与个性发展的统一。

坚持立德树人，就要加强中华优秀传统文化教育。习近平总书记多次强调中华优秀传统文化是涵养社会主义核心价值观的重要源泉，要认真汲取中华优秀传统文化的思想精华和道德精华。习近平总书记在庆祝澳门回归祖国15周年大会上的讲话中指出：“中华民族在几千年历史中创造和延续的中华优秀传统文化，是中华民族的根和魂。”② 要把我国历史文化和国情教育摆在青少年教育的突出位置，引导青少年学生坚定中国特色社会主义道路自信、理论自信、制度自信、文化自信。

---

① 习近平：《从小积极培育和践行社会主义核心价值观——在北京市海淀区民族小学主持召开座谈会时的讲话》，《人民日报》2014年5月31日。

② 习近平：《在庆祝澳门回归祖国15周年大会暨澳门特别行政区第四届政府就职典礼上的讲话》，《人民日报》2014年12月21日。

习近平总书记十分关心青少年的成长，多次与青少年座谈，给学生写信，勉励他们努力学习、立志成才。2013年，在同全国各族少年儿童代表共庆“六一”国际儿童节的讲话中，习近平总书记要求少年儿童从小就要立志向、有梦想，爱学习、爱劳动、爱祖国，德智体美全面发展，长大后做对祖国建设有用的人才。[①] 他在北京市八一学校考察时说，中小学生是青少年的主体，是国家的未来和希望。中小学生要立志成才，必须勤奋学习、提高综合素质，努力做到修身立德、志存高远，勤学上进、追求卓越，强健体魄、健康身心，锤炼意志、砥砺坚韧。[②]

习近平总书记对青年寄予了深切的期望。他在2013年同各界优秀青年代表座谈时说：“青年最富朝气、最富有梦想”，“青年兴则国家兴，青年强则国家强”。他教导青年，第一要坚定理想信念；第二要练就过硬本领；第三要勇于创新创造；第四要矢志艰苦奋斗；第五要锤炼高尚品格。总之，只有进行了激情奋斗的青春，只有进行了顽强拼搏的青春，只有为人民作出了奉献的青春，才会留下充实、温暖、持久、无悔的青春回忆。[③] 他在党的十九大报告中指出：“广大青年要坚定理想信念，志存高远，脚踏实地，勇做时代的弄潮儿，在实现中国梦的生动实践中放飞青春梦想，在为人民利益的不懈奋斗中书写人生华章！”[④]

---

① 《习近平在同全国各族少年儿童代表共庆“六一”国际儿童节时强调 让孩子们成长得更好》，《人民日报》2013年5月31日。

② 《习近平在北京市八一学校考察时强调 全面贯彻落实党的教育方针 努力把我国基础教育越办越好》，《人民日报》2016年9月10日。

③ 习近平：《在同各界优秀青年代表座谈时的讲话》，《人民日报》2013年5月5日。

④ 习近平：《决胜全面建成小康社会 夺取新时代中国特色社会主义伟大胜利——在中国共产党第十九次全国代表大会上的报告》，《人民日报》2017年10月28日。

四、教育理想：中国特色世界水平的现代教育

习近平总书记在第二十九个教师节向广大教师致慰问信，希望广大教师“为发展具有中国特色、世界水平的现代教育作出贡献”。[①]“发展具有中国特色、世界水平的现代教育”是我国教育发展的理想、方向和目标。

基础教育是培育青少年最重要的途径，习近平总书记十分关心我国基础教育的发展。他在北京市八一学校考察时指出，基础教育是提高民族素质的奠基工程，要遵循青少年成长特点和规律，扎实做好基础的文章。基础教育要树立强烈的人才观，大力推进素质教育，鼓励学校办出特色，鼓励教师教出风格。[②]

当前我国基础教育要重点解决的问题是公平和质量。习近平总书记指出，教育公平是社会公平的重要基础，要不断促进教育发展成果更多更公平惠及全体人民，以教育公平促进社会公平正义。[③]基础教育要提高质量。习近平总书记指出，基础教育是立德树人的事业，要旗帜鲜明地加强思想政治教育、品德教育，让社会主义核心价值观的种子在少年儿童心中生根发芽，把国家、人民、民族装在心中，养成健康、乐观、向上的品格。[④]

---

① 《习近平向全国广大教师致慰问信》，《人民日报》2013 年 9 月 10 日。

② 《习近平在北京市八一学校考察时强调　全面贯彻落实党的教育方针　努力把我国基础教育越办越好》，《人民日报》2016 年 9 月 10 日。

③ 《习近平在北京市八一学校考察时强调　全面贯彻落实党的教育方针　努力把我国基础教育越办越好》，《人民日报》2016 年 9 月 10 日。

④ 《习近平在北京市八一学校考察时强调　全面贯彻落实党的教育方针　努力把我国基础教育越办越好》，《人民日报》2016 年 9 月 10 日。

习近平总书记强调，基础教育是全社会的事业，需要学校、家庭、社会密切配合，学校要担负主体责任，对学生负责，对学生家庭负责。①

高等教育发展水平是一个国家发展水平和发展潜力的重要标志。习近平总书记在全国高校思想政治工作会议上的重要讲话中强调，我国有独特的历史、独特的文化、独特的国情，决定了我国必须走自己的高等教育发展道路，扎实办好中国特色社会主义高校。②习近平总书记指出，我国高等教育发展方向要同我国发展的现实目标和未来方向紧密联系在一起，为人民服务，为中国共产党治国理政服务，为巩固和发展中国特色社会主义制度服务，为改革开放和社会主义现代化建设服务。③阐明了我国高等教育的地位和作用，是新时期我国教育发展的指导方针。习近平总书记指出，高等教育必须坚持正确的政治方向，高校立身之本在于立德树人。我们的高校是党领导下的高校，是中国特色社会主义高校。办好我们的高校，必须坚持以马克思主义为指导，全面贯彻党的教育方针。要坚持不懈传播马克思主义科学理论，抓好马克思主义理论教育，为学生一生成长奠定科学的思想基础。要坚持不懈培育和弘扬社会主义核心价值观，引导广大师生做社会主义核心价值观的坚定信仰者、积极传播者、模范践行者。要坚持不懈促进高校和谐稳定，培育理性平和的

---

① 《习近平在北京市八一学校考察时强调 全面贯彻落实党的教育方针 努力把我国基础教育越办越好》，《人民日报》2016 年 9 月 10 日。

② 《习近平在全国高校思想政治工作会议上强调 把思想政治工作贯穿教育教学全过程 开创我国高等教育事业发展新局面》，《人民日报》2016 年 12 月 9 日。

③ 《习近平在全国高校思想政治工作会议上强调 把思想政治工作贯穿教育教学全过程 开创我国高等教育事业发展新局面》，《人民日报》2016 年 12 月 9 日。

健康心态，加强人文关怀和心理疏导，把高校建设成为安定团结的模范之地。要坚持不懈培育优良校风和学风，使高校发展做到治理有方、管理到位、风清气正。①

习近平总书记还对职业教育、家庭教育、教育对外开放、教育信息化等发表了重要意见。

五、队伍保障：坚持把教师队伍建设作为基础工作

教育大计，教师为本。

习近平总书记高度重视教师队伍建设。习近平总书记在北京师范大学师生座谈会上的重要讲话，集中反映了他对教师的定义。他首先论述了教师的作用，指出："教师是人类历史上最古老的职业之一，也是最伟大、最神圣的职业之一。"② 教师之所以重要，就在于教师的工作是塑造灵魂、塑造生命、塑造人的工作，教师肩负实现"两个一百年"奋斗目标、中华民族伟大复兴中国梦的使命和责任。他希望广大教师认清肩负的使命和责任，努力为发展具有中国特色、世界水平的现代教育，培养社会主义事业建设者和接班人作出更大贡献。③在全国教育大会上，习近平总书记进一步强调了教师的神圣使命。他指出，教师是人类灵魂的工程师，是人类文明的传承者，承载着传播

① 《习近平在全国高校思想政治工作会议上强调　把思想政治工作贯穿教育教学全过程　开创我国高等教育事业发展新局面》，《人民日报》2016 年 12 月 9 日。

② 习近平：《做党和人民满意的好老师——同北京师范大学师生代表座谈时的讲话》，《人民日报》2014 年 9 月 10 日。

③ 习近平：《做党和人民满意的好老师——同北京师范大学师生代表座谈时的讲话》，《人民日报》2014 年 9 月 10 日。

知识、传播思想、传播真理，塑造灵魂、塑造生命、塑造新人的时代重任。并明确指出，坚持把教师队伍建设作为基础工作。①

怎样才能成为好老师呢？习近平总书记提出四条标准：要有理想信念、要有道德情操、要有扎实学识、要有仁爱之心。②鼓励教师做学生锤炼品格的引路人、学习知识的引路人、创新思维的引路人、奉献祖国的引路人。③他的讲话为教师的培养和专业成长指明了方向。

习近平总书记十分重视知识分子在社会主义现代化建设中的地位和作用。习近平总书记在安徽与知识分子、劳动模范、青年代表座谈时指出，全面建成小康社会，我国广大知识分子能够提供十分重要的人才支撑、智力支撑、创新支撑。④在全国政协十二届五次会议期间，习近平总书记在看望民进、农工党、九三学社的政协委员时强调，我国知识分子历来有浓厚的家国情怀，有强烈的社会责任感，重道义、勇担当。⑤

习近平总书记希望我国广大知识分子自觉做践行社会主义核心价值观的模范，坚持国家至上、民族至上、人民至上，身体力行带

---

① 《习近平在全国教育大会上强调 坚持中国特色社会主义教育发展道路 培养德智体美劳全面发展的社会主义建设者和接班人》，《人民日报》2018 年 9 月 11 日。

② 习近平：《做党和人民满意的好老师——同北京师范大学师生代表座谈时的讲话》，《人民日报》2014 年 9 月 10 日。

③ 《习近平在北京市八一学校考察时强调 全面贯彻落实党的教育方针 努力把我国基础教育越办越好》，《人民日报》2016 年 9 月 10 日。

④ 《习近平在同知识分子劳动模范青年代表座谈时强调 紧跟时代肩负使命锐意进取 为共同理想和目标团结奋斗》，《人民日报》2016 年 4 月 30 日。

⑤ 《习近平在看望参加政协会议的民进农工党九三学社委员时强调 我国广大知识分子要主动担当积极作为 为国家富强民族振兴人民幸福多作贡献》，《人民日报》2017 年 3 月 5 日。

动全社会遵循社会主义核心价值观；积极投身创新发展实践，不断攀登创新高峰。他要求各级领导要为广大知识分子工作学习创造更好的条件。[①] 他的讲话充满了对知识分子的尊重、信任和期望。

教育战线是知识分子战线，要尊重、吸引、用好知识分子，发挥知识分子的智慧和力量，把广大学生培养成中国特色社会主义合格建设者和可靠接班人。

六、发展动力：坚持文化自信

习近平总书记指出，“继续大力推动教育改革发展，使我国教育越办越好、越办越强”。[②]

改革创新是教育发展的动力。习近平总书记深刻指出，全面深化改革是关系党和国家事业发展全局的重大战略部署。[③]

教育改革要坚持文化自信。习近平总书记在考察北京市八一学校时指出，我们的教育改革要坚持文化自信，好的经验要坚持，不足的要补齐。[④] 教育改革要坚持正确的发展理念。党的十八届五中全会提出了创新、协调、绿色、开放、共享五大发展理念，是今后一个时期

---

① 《习近平在看望参加政协会议的民进农工党九三学社委员时强调　我国广大知识分子要主动担当积极作为　为国家富强民族振兴人民幸福多作贡献》，《人民日报》2017 年 3 月 5 日。

② 习近平：《做党和人民满意的好老师——同北京师范大学师生代表座谈时的讲话》，《人民日报》2014 年 9 月 10 日。

③ 习近平：《关于〈中共中央关于全面深化改革若干重大问题的决定〉的说明》，《人民日报》2013 年 11 月 16 日。

④ 《习近平在北京市八一学校考察时强调　全面贯彻落实党的教育方针　努力把我国基础教育越办越好》，《人民日报》2016 年 9 月 10 日。

我国教育改革发展的思路、方向、着力点。

党的十八届三中全会通过的《中共中央关于全面深化改革若干重大问题的决定》提出，“深化教育领域综合改革”，并对改革提出了总体要求，明确了改革的方向和具体举措。

习近平总书记在北京市八一学校考察时，要求各级党委和政府坚持把教育放在优先发展的战略位置，强化责任意识，及时研究解决教育改革发展的重大问题和群众关心的热点问题。要深化办学体制、管理体制、经费投入体制、考试招生及就业制度等方面的改革，深化学校内部管理制度、人事薪酬制度、教学管理制度等方面的改革，深化人才培养模式、教学内容及方式方法等方面的改革，使各级各类教育更加符合教育规律、更加符合人才成长规律。[①] 在全国教育大会上，习近平总书记强调，我们要抓住机遇，超前布局，以更高远的历史站位、更宽广的国际视野、更深邃的战略眼光，对加快推进教育现代化、建设教育强国作出总体战略部署和战略设计，坚持把优先发展教育事业作为推动党和国家各项事业发展的重要先手棋，不断使教育同党和国家事业发展要求相适应、同人民群众期待相契合、同我国综合国力和国际地位相匹配。[②] 习近平总书记对从教育行政部门到学校教育教学改革的方方面面提出了具体改革要求，为我国教育事业的改革和发展指明了前进道路。

习近平总书记站在治国理政的高度，以世界发展大局的视野，论

① 《习近平在北京市八一学校考察时强调 全面贯彻落实党的教育方针 努力把我国基础教育越办越好》，《人民日报》2016 年 9 月 10 日。

② 《习近平在全国教育大会上强调 坚持中国特色社会主义教育发展道路 培养德智体美劳全面发展的社会主义建设者和接班人》，《人民日报》2018 年 9 月 11 日。

述了我国教育的理论问题和实践问题，高瞻远瞩，具有政治性、思想性、科学性、时代性，丰富了我国教育理论宝库，指导着我国教育改革和发展的方向。

第一章

坚持党对教育事业的全面领导

坚持党对一切工作的领导。党政军民学，东西南北中，党是领导一切的。必须增强政治意识、大局意识、核心意识、看齐意识，自觉维护党中央权威和集中统一领导，自觉在思想上政治上行动上同党中央保持高度一致，完善坚持党的领导的体制机制，坚持稳中求进工作总基调，统筹推进“五位一体”总体布局，协调推进“四个全面”战略布局，提高党把方向、谋大局、定政策、促改革的能力和定力，确保党始终总揽全局、协调各方。

——习近平总书记在中国共产党第十九次全国代表大会上的报告

中国共产党是新时代中国特色社会主义事业的领导核心，处在总揽全局、协调各方的地位。正如习近平总书记指出的："党政军民学，东西南北中，党是领导一切的，是最高的政治领导力量。"① 习近平总书记在党的十九大报告中指出："坚持党对一切工作的领导。"② 进一步明确了我们的教育事业是党领导下的教育事业，是新时代中国特色社会主义教育事业；我们的学校是党领导下的学校，是新时代中国特色社会主义学校。党的领导是引领新时代中国特色社会主义教育事业不断前进的最大政治优势，是办好中国特色、世界水平的现代教育的根本政治保证。

党的十八大以来，习近平总书记紧紧围绕把方向、揽全局、抓思想、建队伍、促党建，系统阐述了加强党对教育工作领导的一系列重大问题，明确提出了现阶段教育改革发展的形势任务、目标原则、路径手段、战略策略、体制机制，科学回答了培养什么人、怎样培养人以及为谁培养人这个根本问题。我们要深入学习习近平总书记关于教育的重要论述，把握贯穿其中的立场、观点、方法，确保教育改革发

① 习近平：《决胜全面建成小康社会 夺取新时代中国特色社会主义伟大胜利——在中国共产党第十九次全国代表大会上的报告》，《人民日报》2017 年 10 月 28 日。

② 习近平：《决胜全面建成小康社会 夺取新时代中国特色社会主义伟大胜利——在中国共产党第十九次全国代表大会上的报告》，《人民日报》2017 年 10 月 28 日。

展道路和办学方向正确。

一、坚持把教育放在优先发展的战略地位

党的十八大以来，习近平总书记立足中国已前所未有地接近中华民族伟大复兴目标、前所未有地走近世界舞台中央这样的历史方位，着眼完成决胜全面建成小康社会、夺取中国特色社会主义伟大胜利这样的历史使命，强调："'两个一百年'奋斗目标的实现、中华民族伟大复兴中国梦的实现，归根到底靠人才、靠教育。"[①]"教育是国之大计、党之大计。"[②]在当下日趋激烈的综合国力竞争中，"人才越来越成为推动经济社会发展的战略性资源，教育的基础性、先导性、全局性地位和作用更加突显。"[③]这就要求我们坚持科教兴国战略和人才强国战略，坚持把教育放在优先发展的战略位置，继续大力推动教育改革发展，使我国教育越办越好、越办越强。"教育强则国家强"[④]，"中国这么多人，教育上去了，将来人才就会像井喷一样涌现出来。这是最有竞争力的"。[⑤]习近平总书记这些重要论断，实际上回答了这样一个问题：既然"党是领导

① 习近平：《做党和人民满意的好老师——同北京师范大学师生代表座谈时的讲话》，《人民日报》2014年9月10日。

② 《习近平在全国教育大会上强调 坚持中国特色社会主义教育发展道路 培养德智体美劳全面发展的社会主义建设者和接班人》，《人民日报》2018年9月11日。

③ 习近平：《做党和人民满意的好老师——同北京师范大学师生代表座谈时的讲话》，《人民日报》2014年9月10日。

④ 《习近平在全国高校思想政治工作会议上强调 把思想政治工作贯穿教育教学全过程 开创我国高等教育事业发展新局面》，《人民日报》2016年12月9日。

⑤ 中央文献研究室编：《习近平关于科技创新论述摘编》，中央文献出版社2016年版，第107页。

一切的”，那么教育在党所领导的一切工作中究竟处于一种什么样的战略位置、具有什么样的重要作用？

建设教育强国是中华民族伟大复兴的基础工程。为了进一步确立教育在我们党领导的一切工作中“优先发展的战略位置”[①]和“基础性、先导性、全局性地位和作用”[②]，习近平总书记2015年12月18日在中央经济工作会议上明确提出“加大投资于人的力度”的重要理念。[③]这一理念的精神实质，就是要求做到，既让人们的物质生活更殷实，又让人们的精神状态更昂扬；既让人们的衣食住行更便捷，又让人们的科学文化和思想道德素质更健全。在2016年12月14日召开的中央经济工作会议上，习近平总书记又把“提升人力资本水平”明确为供给侧结构性改革中“补短板”的一项重点工作。[④]2017年7月26日，习近平总书记在省部级主要领导干部“学习习近平总书记重要讲话精神，迎接党的十九大”专题研讨班开班仪式上的重要讲话即人们通常所说的“7·26”重要讲话中，还深入分析了我国社会生产力水平明显提高后，人民群众需要呈现的多样化多层次多方面的特点，并把满足人民对“更好的教育”的期盼，同满足他们对“更稳定的工作、更满意的收入、更可靠的社会保障、更高水平的医疗卫生服务、更舒适的居住条件、更优美的环境、更丰富的精神文化生活”的期盼一道，作为全党必须努力实现的工作

① 《习近平主席在联合国“教育第一”全球倡议行动一周年纪念活动上发表视频贺词》，《人民日报》2013年9月27日。

② 习近平：《做党和人民满意的好老师——同北京师范大学师生代表座谈时的讲话》，《人民日报》2014年9月10日。

③ 《中央经济工作会议在北京举行》，《人民日报》2015年12月22日。

④ 《中央经济工作会议在北京举行》，《人民日报》2016年12月17日。

目标。[1] 这是习近平在党的十八届一中全会上当选总书记后向党内外作出“人民对美好生活的向往，就是我们的奋斗目标”这一宣示的题中应有之义，也是以习近平同志为核心的党中央在党的十八大以后加强党对教育工作领导的根本出发点和落脚点。

为了满足人民群众对“更好的教育”的期盼，以习近平同志为核心的党中央不仅坚持把教育放在优先发展的战略位置，而且及时研究解决了教育改革发展中面临的一系列重大问题。党的十八大以来，特别是十八届三中全会作出《关于全面深化改革若干重大问题的决定》、提出深化教育领域综合改革的重大战略任务以来，习近平总书记在他主持的中央全面深化改革领导小组召开的 38 次会议中，多次把教育改革问题纳入议程，通过了十多份重要教育文件。在这个过程中，习近平总书记从审议改革方案到听取改革进展汇报，从部署改革任务到指引改革方法，夯基垒台、立柱架梁，推动全面深化教育改革的主体框架基本确立，教育领域综合改革呈现全面发力、多点突破、蹄疾步稳、纵深推进的良好态势。近年来教育领域实施深层次、根本性变革，取得了全方位、开创性成就，踏上了新时代中国特色社会主义教育强国建设的新征程。

习近平总书记这些重要论断和重大举措告诉我们，全面深化教育领域综合改革，必须始终把实现好、维护好、发展好最广大人民根本利益作为出发点和落脚点，坚持以提高教育质量为核心，把推进管办评分离作为着力点，把考试招生制度改革作为突破口，把统筹用好国

---

① 《习近平在省部级主要领导干部“学习习近平总书记重要讲话精神，迎接党的十九大”专题研讨班开班式上发表重要讲话强调　高举中国特色社会主义伟大旗帜　为决胜全面小康社会实现中国梦而奋斗》，《人民日报》2017 年 7 月 28 日。

内国外两种资源作为重要保障，重点推动政府职能转变，从越位点撤离，把缺失面填齐，在供给侧发力。特别是要继续把促进教育公平置于突出位置，视教育为民生之基，以教育扶贫来阻断贫困代际传递，让每个孩子都能赢在起跑线上，使“人人皆学、处处能学、时时可学”的学习型社会真正落到实处。

二、全面贯彻党的教育方针

我们的学校是党领导下的学校，是中国特色社会主义学校。办好我们的学校，必须坚持以马克思主义为指导，全面贯彻党的教育方针。一所学校一旦在办学方向上走错了，在培养人的问题上走偏了，那就像一株歪脖子树，无论如何也长不成参天大树。因此，加强党对教育工作的领导，最重要的就是在事关办学方向的问题上站稳立场。正如习近平总书记指出的，我国教育发展方向要同我国发展的现实目标和未来方向紧密联系在一起，为人民服务，为中国共产党治国理政服务，为巩固和发展中国特色社会主义制度服务，为改革开放和社会主义现代化建设服务。①

在这方面，习近平总书记尤其重视加强党对高校工作的领导、确保我国各级各类高校始终坚持社会主义办学方向问题。目前，我国高校容纳了哲学社会科学70%以上的研究人员和2/3的研究成果。在全球思想文化交流、交融、交锋的大背景下，我国高校面临的各种意识形态风险也日益凸显。习近平总书记明确指出，牢牢掌握党对高校

① 《习近平在全国高校思想政治工作会议上强调　把思想政治工作贯穿教育教学全过程　开创我国高等教育事业发展新局面》，《人民日报》2016年12月9日。

工作的领导权，关键是要确保高校始终成为“坚持党的领导的坚强阵地”和“培养社会主义事业建设者和接班人的坚强阵地”。[①] 而要成为这两个“坚强阵地”，关键在于牢牢掌握高校意识形态工作的领导权，基础在于牢牢掌握高校思想政治工作的主导权。这就告诉我们，各级各类高校是重要的教育阵地，也是重要的思想文化阵地，强化思想引领与价值塑造是牢牢掌握党对高校工作领导权的核心抓手。我们既要对各种错误思潮保持警惕、有效防范，防止其以各种形式在高校抢滩登陆，同我们争夺阵地、争夺师生、争夺人心；又要加强对课堂、讲座、论坛、报告会、研讨会以及境外非政府组织在高校活动的管理，有效防范校园传教，防范敌对势力渗透，确保高校和谐稳定；还要联系学生思想实际，有针对性地回答一些学生感到困惑的综合性、深层次的理论认识问题。

牢牢掌握党对高校意识形态工作的领导权，还必须加强党对民办高校、中外合作办学院校的领导与指导。无论什么学校，在坚持正确政治方向、正确育人导向上没有例外，必须把民办高校、中外合作办学院校纳入高校思想政治工作整体布局，确保高校党建和思想政治工作全覆盖。这是习近平总书记关于“党政军民学，东西南北中，党是领导一切的”这一重要论断的生动体现。

牢牢掌握党对高校意识形态工作的领导权，面临着一个绕不开的问题，这就是如何正确处理探索性学术问题和严肃政治问题的关系。习近平总书记为此提出了“两个不能等同于”的重要论断。他说，我们既不能把探索性的学术问题等同于严肃的政治问题，也不能把

① 《习近平在全国高校思想政治工作会议上强调　把思想政治工作贯穿教育教学全过程　开创我国高等教育事业发展新局面》，《人民日报》2016 年 12 月 9 日。

严肃的政治问题等同于探索性的学术问题。不能一说学术问题可以研究，就不顾场合口无遮拦乱说一气，也不能为了沽名钓誉而标新立异。个人的意见、批评往往是探索性的，有时是个人的一孔之见，对不对要在实践中检验，可以在内部研究，也可以通过一定组织渠道向上反映，但拿到党校讲台上讲、拿到社会上发表就要慎重了。[①]他的这段论述不仅适用于党校，也同样适用于各级各类学校。他还强调，各级领导干部要善于同知识分子打交道，做知识分子的挚友、诤友。对来自知识分子的意见和批评，只要出发点是好的，就要热忱欢迎，对的就要积极采纳。即使一些意见和批评有偏差，甚至不正确，也要多一些包容、多一些宽容，坚持不抓辫子、不扣帽子、不打棍子。[②]习近平总书记这些重要论断，对增强党对学校特别是高校意识形态工作的领导能力，坚持正确办学方向，具有很强的现实指导性。

三、紧扣培养什么人这个根本问题

2014 年 9 月 9 日，习近平总书记在同北京师范大学师生代表座谈时指出，要把今天的学生视为“未来实现中华民族伟大复兴中国梦的主力军”，强调要把这支主力军打造成“中华民族‘梦之队’”。[③]他

① 习近平：《在全国党校工作会议上的讲话》，《求是》2016 年第 9 期。

② 《习近平在同知识分子劳动模范青年代表座谈时强调　紧跟时代肩负使命锐意进取　为共同理想和目标团结奋斗》，《人民日报》2016 年 4 月 30 日。

③ 习近平：《做党和人民满意的好老师——同北京师范大学师生代表座谈时的讲话》，《人民日报》2014 年 9 月 10 日。

还在多个场合强调，中国梦是我们的，更是青少年一代的。中华民族伟大复兴的中国梦既然要在青少年一代手中实现，青少年一代就要勇做走在时代前列的奋进者、开拓者、奉献者，积极投身坚持和发展中国特色社会主义伟大实践，努力在实现中华民族伟大复兴中国梦的生动实践中放飞青春梦想。习近平总书记在这里实际上从实现"两个一百年"奋斗目标、实现中华民族伟大复兴中国梦的战略高度，向各级党委、政府提出确保让每个孩子享有受教育的机会，培养德智体美劳全面发展的中国特色社会主义事业建设者和接班人，打造一支中华民族"梦之队"的重大战略任务。

为了打造这样一支中华民族"梦之队"，习近平总书记强调："理想指引人生方向，信念决定事业成败。"[①] 实现中华民族伟大复兴中国梦是青少年应该牢固树立的远大理想，中国特色社会主义是青少年应该牢固确立的人生信念。各级党组织要积极引导广大青少年"把理想信念建立在对科学理论的理性认同上，建立在对历史规律的正确认识上，建立在对基本国情的准确把握上"[②]，不断坚定中国特色社会主义道路自信、理论自信、制度自信、文化自信，用青春铺路，让理想延伸，为实现中国梦增添强大青春能量。

要用社会主义核心价值观扣好青少年学生人生的第一粒纽扣。青少年的价值取向决定了未来整个社会的价值取向，而青少年又处在价值观形成和确立的时期。习近平总书记在北京市海淀区民族小学主持召开座谈会时指出："任何一个思想观念，要在全社会树立起来并长

① 习近平：《在同各界优秀青年代表座谈时的讲话》，《人民日报》2013 年 5 月 5 日。
② 习近平：《在同各界优秀青年代表座谈时的讲话》，《人民日报》2013 年 5 月 5 日。

期发挥作用，就要从少年儿童抓起。”① 各级各类学校都要推动社会主义核心价值观进教材、进课堂、进学生头脑，提升思想政治教育的亲和力和针对性，就像习近平总书记在全国高校思想政治工作会议上说的，因事而化、因时而进、因势而新，注重以文化人、以文育人。各门课都要守好一段渠、种好责任田，与思想政治理论课同向同行，形成协同效应。②

习近平总书记还指出，广大教师作为打造中华民族“梦之队”的筑梦人，必须有理想信念、有道德情操、有扎实学识、有仁爱之心。他说：“教师的工作是塑造灵魂、塑造生命、塑造人的工作。”③ 教师“承担着最庄严、最神圣的使命”④；是学生锤炼品格的引路人，学生学习知识的引路人，学生创新思维的引路人，学生奉献祖国的引路人；⑤ 是“立教之本、兴教之源”。⑥ 各级党委、政府特别是学校各级党组织要当好广大教师的“后勤部长”，通过深入细致的思想政治和扎实有效的服务工作，引导广大教师认清肩负的使命和责任，始终同党和人民站在一起，自觉做中国特色社会主义的坚定信仰者和忠实实践

---

① 习近平：《从小积极培育和践行社会主义核心价值观——在北京市海淀区民族小学主持召开座谈会时的讲话》，《人民日报》2014 年 5 月 31 日。

② 《习近平在全国高校思想政治工作会议上强调　把思想政治工作贯穿教育教学全过程　开创我国高等教育事业发展新局面》，《人民日报》2016 年 12 月 9 日。

③ 习近平：《做党和人民满意的好老师——同北京师范大学师生代表座谈时的讲话》，《人民日报》2014 年 9 月 10 日。

④ 习近平：《青年要自觉践行社会主义核心价值观——在北京大学师生座谈会上的讲话》，《人民日报》2014 年 5 月 5 日。

⑤ 《习近平在北京市八一学校考察时强调　全面贯彻落实党的教育方针　努力把我国基础教育越办越好》，《人民日报》2016 年 9 月 10 日。

⑥ 习近平：《向全国广大教师致慰问信》，《人民日报》2013 年 9 月 10 日。

者，自觉做先进思想文化的传播者、党执政的坚定支持者，始终忠诚于党和人民的教育事业，坚持把党的教育方针贯彻到教学管理工作全过程。

习近平总书记围绕“立德树人”提出的上述重要论断，为我们加强党对教育工作的领导，努力打造一支能够自觉到人民中去建功立业、让青春之花绽放在人民最需要的地方、把自身梦想融入十几亿人民实现中国梦的壮阔奋斗之中的中华民族“梦之队”，指明了正确方向和现实路径。

四、从制度上确保把全面从严治党落到实处

在“7·26”重要讲话中，习近平总书记从“四个伟大”的高度提出了“两个毫不动摇”的思想。他指出，党要团结带领人民进行伟大斗争、推进伟大事业、实现伟大梦想，必须毫不动摇坚持和完善党的领导，毫不动摇推进党的建设新的伟大工程，把党建设得更加坚强有力。① 这就鲜明揭示出党的领导和党的建设相辅相成、相互促进的关系。

教育战线贯彻习近平总书记这一重要思想，首先要完善党对教育工作的领导体制和工作机制。比如，高校必须准确理解和贯彻党委领导下的校长负责制。高校领导班子要成为坚持社会主义办学方向、善于领导高校科学发展、团结奋进的坚强领导集体，就必须有一个坚强的核心，

---

① 《习近平在省部级主要领导干部“学习习近平总书记重要讲话精神，迎接党的十九大”专题研讨班开班式上发表重要讲话强调　高举中国特色社会主义伟大旗帜　为决胜全面小康社会实现中国梦而奋斗》，《人民日报》2017 年 7 月 28 日。

这就是党委。高校重要干部任免、重要人才使用、重要阵地建设、重大发展规划、重大项目安排、重大资金使用、重大评价评奖活动等，都要经党委集体研究决定。高校党委书记主持党委全面工作，对党委工作负主要责任，校长和其他行政领导班子成员要自觉接受党委领导，贯彻执行党委决定，书记和校长都应当成为讲政治的教育家、办教育的政治家、办学治校的管理专家。

坚持和完善党的领导同勇于自我革命、从严管党治党是相统一的。党要管党、从严治党，是党的建设的一贯要求和根本方针。实践也一再表明，对于教育战线来说，党要管党，才能管好党，才能发展社会主义教育事业；从严治党，才能治好党，才能办好中国特色社会主义学校。近年来，在以习近平同志为核心的党中央坚强领导下，教育战线持之以恒反“四风”、雷霆万钧反腐败，层层落实党风廉政建设的“两个责任”，用好党内监督“利器”，发挥巡视“利剑”作用，建立有力的督查督办制度，做到有责必问、有责必查、有责必究，收到积极成效。

加强党对教育工作的领导，推进教育战线的全面从严治党，还要同加强学校基层党组织建设和党员队伍建设结合起来。高校基层党组织建设和党员队伍建设是高校党的建设的基础工程，团结、组织广大师生的凝聚力工程。党支部是高校教育和管理党员的基本单位，抓好了党支部建设就抓住了高校党建工作的基础一环。我们要坚持把党支部建在教研团队上，建在班级课堂上，建在学生社区上、建在学生社团上，确保教育科研推进到哪里、党的建设就跟进到哪里、党支部的战斗堡垒作用就体现在哪里，寓党建于服务之中，厚植高校党建基础，为办好中国特色社会主义大学提供坚强组织保证。

总之，对于各级党委和政府特别是教育战线的各级党组织来说，无论是加强党的领导，还是坚持全面从严治党，都必须深入学习习近平总书记关于教育的重要论述，“虚”功“实”做，把“软指标”变为“硬约束”，以改革创新精神大力推进党的各方面建设，以刮骨疗毒、壮士断腕的勇气展开一场刀刃向内的自我革命，努力确保学校这片“社会净土”始终保持纯净，为办好中国特色社会主义教育事业打造一个“山清水秀”的政治社会生态，为把我国建设成为社会主义现代化教育强国提供坚强政治保证。

第二章

坚持把立德树人作为教育的根本任务

新时代贯彻党的教育方针，要坚持马克思主义指导地位，贯彻新时代中国特色社会主义思想，坚持社会主义办学方向，落实立德树人的根本任务，坚持教育为人民服务、为中国共产党治国理政服务、为巩固和发展中国特色社会主义制度服务、为改革开放和社会主义现代化建设服务，扎根中国大地办教育，同生产劳动和社会实践相结合，加快推进教育现代化、建设教育强国、办好人民满意的教育，努力培养担当民族复兴大任的时代新人，培养德智体美劳全面发展的社会主义建设者和接班人。

——习近平总书记在学校思想政治理论课教师座谈会上的讲话

培养什么人，如何培养人，历来是党和国家教育的根本问题。习近平总书记在党的十九大报告中要求：“全面贯彻党的教育方针，落实立德树人根本任务，发展素质教育，推进教育公平，培养德智体美全面发展的社会主义建设者和接班人。”[①] 习近平总书记着眼新时代中国特色社会主义教育的全局，深刻回答了培养什么人、如何培养人以及为谁培养人等一系列重大问题，是新时代中国特色社会主义教育理论的精髓。实践已经证明，并将继续证明，习近平总书记关于教育的重要论述是推进我国教育现代化的指导思想和行动指南。

一、各级各类教育必须坚持立德树人

中华人民共和国成立以来，在党的教育方针的表述中，始终强调受教育者德智体美全面发展。

毛泽东同志在 1957 年指出：“我们的教育方针，应该使受教育者在德育、智育、体育几方面都得到发展，成为有社会主义觉悟的有文化的劳动者。”

1978 年，邓小平同志在全国教育工作会议上指出：“应该使受教

① 习近平：《决胜全面建成小康社会　夺取新时代中国特色社会主义伟大胜利——在中国共产党第十九次全国代表大会上的报告》，《人民日报》2017 年 10 月 28 日。

育者在德育、智育、体育几方面都得到发展，成为有社会主义觉悟的有文化的劳动者。”

1982 年，《中华人民共和国宪法》第四十六条规定：“国家培养青年、少年、儿童在品德、智力、体质等方面全面发展。”1995 年，《中华人民共和国教育法》第五条规定：“教育必须为社会主义现代化建设服务，必须与生产劳动相结合，培养德、智、体等方面全面发展的社会主义事业的建设者和接班人。”

2002 年，党的十六大报告提出：“坚持教育为社会主义现代化建设服务，为人民服务，与生产劳动和社会实践相结合，培养德智体美全面发展的社会主义建设者和接班人。”① 党的十七大报告提出：“坚持育人为本、德育为先，实施素质教育，提高教育现代化水平，培养德智体美全面发展的社会主义建设者和接班人，办好人民满意的教育。”② 首次提出了“育人为本、德育为先”的要求。党的十八大报告则进一步强调把立德树人作为教育的根本任务，培养德智体美全面发展的社会主义建设者和接班人③。党的十九大报告要求“落实立德树人根本任务”。④ 将“立德树人”的定位置于“全面发展”之上，这是以习近平同志为核心的党中央继承、丰富和发展党的教育方针的集中

---

① 江泽民：《全面建设小康社会　开创中国特色社会主义事业新局面——在中国共产党第十六次全国代表大会上的报告》，《人民日报》2002 年 11 月 18 日。

② 胡锦涛：《高举中国特色社会主义伟大旗帜　为夺取全面建设小康社会新胜利而奋斗——在中国共产党第十七次全国代表大会上的报告》，《人民日报》2007 年 10 月 25 日。

③ 胡锦涛：《坚定不移沿着中国特色社会主义道路前进　为全面建成小康社会而奋斗——在中国共产党第十八次全国代表大会上的报告》，《人民日报》2012 年 11 月 18 日。

④ 习近平：《决胜全面建成小康社会　夺取新时代中国特色社会主义伟大胜利——在中国共产党第十九次全国代表大会上的报告》，《人民日报》2017 年 10 月 28 日。

体现，是对党的全面发展的教育方针的重大发展，是党的教育理论创新的最新成果，具有以下三个方面的深刻含义：

一是立德树人揭示了教育的本质，是对教育本质的最新认识。教育的本质是培养人，这是古今中外的共同认识。党的十八大把立德树人作为教育的根本任务，体现了党对教育如何培养人这一教育本质的新认识。

二是立德树人揭示了德育在学校教育中的突出地位，强调促进人的德性成长是教育的首要任务，体现了党对人的全面发展的最新要求。

三是立德树人揭示了道德发展与人的全面发展的辩证关系，强调德性成长是人的全面发展的根本保障，体现了党对教育规律的深刻认识。

习近平总书记要求各级各类学校必须坚持立德树人。他在会见中国少年先锋队第七次全国代表大会代表时寄语全国各族少年儿童，要从小学习做人。要学会做人的准则，就要学习和传承中华民族传统美德，学习和弘扬社会主义新风尚，热爱生活，懂得感恩，与人为善，明礼诚信，争当学习和实践社会主义核心价值观的小模范。①2013 年 10 月 1 日，他在给中央民族大学附属中学全校学生的回信中，要求学校承担好立德树人、教书育人的神圣职责。②2016 年 4 月，在致清华大学建校 105 周年贺信中，他强调，站在新的起

① 《习近平在会见中国少年先锋队第七次全国代表大会代表时寄语全国各族少年儿童强调　美好的生活属于你们　美丽的中国梦属于你们》，《人民日报》2015 年 6 月 2 日。

② 《习近平总书记给中央民族大学附属中学全校学生的回信》，《人民日报》2013 年 10 月 7 日。

点上，清华大学要坚持正确方向、坚持立德树人、坚持服务国家、坚持改革创新。[①]2018 年 5 月 2 日，在北京大学师生座谈会上的讲话中，他指出："大学是立德树人、培养人才的地方，是青年人学习知识、增长才干、放飞梦想的地方。""要把立德树人内化到大学建设和管理各领域、各方面、各环节，做到以树人为核心，以立德为根本。"[②]

把立德树人作为教育的根本任务，具有鲜明的时代特征。随着经济全球化、信息化和后工业社会的到来，人类面临的德性挑战日趋严峻。为了提高我国的软实力，为了实现中华民族的伟大复兴、加强德育工作、提高全民族的道德文明素养、增强我国软实力，已成为我国教育战线面临的一项重大而紧迫的战略任务。

二、立德树人是人才成长的根本规律

党的十八大以来，以习近平同志为核心的党中央，始终把立德树人作为学校教育的根本任务。习近平总书记强调："人才培养一定是育人和育才相统一的过程，而育人是本。人无德不立，育人的根本在于立德。这是人才培养的辩证法。办学就要尊重这个规律，否则就办不好学。"[③] 习近平总书记在尊重教育规律，坚持立德树人，丰富、完善和发展党的教育方针方面提出了一系列新论断、新主张。

① 《习近平致清华大学建校 105 周年贺信》，《人民日报》2016 年 4 月 23 日。

② 习近平：《在北京大学师生座谈会上的讲话》，《人民日报》2018 年 5 月 3 日。

③ 习近平：《在北京大学师生座谈会上的讲话》，《人民日报》2018 年 5 月 3 日。

（一）强调扣好人生的第一粒扣子

2014 年 5 月 4 日，习近平总书记在北京大学考察时指出，青年的价值取向决定了未来整个社会的价值取向，而青年又处在价值观形成和确立的时期，抓好这一时期的价值观养成十分重要。这就像穿衣服扣扣子一样，如果第一粒扣子扣错了，剩余的扣子都会扣错。人生的扣子从一开始就要扣好。[①]

（二）强调理想信念教育

在党的十九大报告中，习近平总书记强调：人民有信仰，国家有力量，民族有希望，要求必须“广泛开展理想信念教育”。[②]2013 年 5 月 4 日，习近平总书记在同各界优秀青年代表座谈时指出：“广大青年一定要坚定理想信念。‘功崇惟志，业广惟勤。’理想指引人生方向，信念决定事业成败。没有理想信念，就会导致精神上‘缺钙’。”[③]2015 年 6 月 1 日，习近平总书记在会见中国少年先锋队第七次全国代表大会代表时指出，要从小学习立志。志向是人生的航标。一个人要做出一番成就，就要有自己的志向。一个人可以有很多志向，但人生最重要的志向应该同祖国和人民联系在一起，这是人们各种具体志向的底盘，也是人生的脊梁。[④]2018 年 5 月 2 日，在北京大学师生座谈会

① 习近平：《青年要自觉践行社会主义核心价值观——在北京大学师生座谈会上的讲话》，《人民日报》2014 年 5 月 5 日。

② 习近平：《决胜全面建成小康社会　夺取新时代中国特色社会主义伟大胜利——在中国共产党第十九次全国代表大会上的报告》，《人民日报》2017 年 10 月 28 日。

③ 习近平：《在同各界优秀青年代表座谈时的讲话》，《人民日报》2013 年 5 月 5 日。

④ 《习近平在会见中国少年先锋队第七次全国代表大会代表时寄语全国各族少年儿童强调　美好的生活属于你们　美丽的中国梦属于你们》，《人民日报》2015 年 6 月 2 日。

上的讲话中，习近平总书记要求大学生："要励志，立鸿鹄志，做奋斗者。"①

（三）强调加强社会主义核心价值观教育

2014 年 5 月 30 日，习近平总书记在参加北京市海淀区民族小学庆祝"六一"国际儿童节活动时指出，让社会主义核心价值观在少年儿童中培育起来，家庭、学校、少先队组织和全社会都有责任。② 学校要把德育放在更加重要的位置，全面加强校风、师德建设，坚持教书育人，根据少年儿童特点和成长规律，循循善诱、春风化雨，努力做到每一堂课不仅传播知识，而且传授美德；每一次活动不仅健康身心，而且陶冶性情。习近平总书记在全国高校思想政治工作会议上指出，要把思想政治工作贯穿教育教学全过程，引导广大师生做社会主义核心价值观的坚定信仰者、积极传播者、模范践行者。③ 在党的十九大报告中习近平总书记进一步强调："社会主义核心价值观是当代中国精神的集中体现，凝结着全体人民共同的价值追求。要以培养担当民族复兴大任的时代新人为着眼点，强化教育引导、实践养成、制度保障，发挥社会主义核心价值观对国民教育、精神文明创建、精神文化产品创作生产传播的引领作用，把社会主义核心价值观融入社会发展各方面，转化为人们的情感认同和行为习惯。坚持全民行动、

---

①　习近平：《在北京大学师生座谈会上的讲话》，《人民日报》2018 年 5 月 3 日。

②　习近平：《从小积极培育和践行社会主义核心价值观——在北京市海淀区民族小学主持召开座谈会时的讲话》，《人民日报》2014 年 5 月 31 日。

③　习近平：《从小积极培育和践行社会主义核心价值观——在北京市海淀区民族小学主持召开座谈会时的讲话》，《人民日报》2014 年 5 月 31 日。

干部带头，从家庭做起，从娃娃抓起。”①

（四）强调加强中华优秀传统文化教育

习近平总书记在党的十九大报告中强调，文化是一个国家、一个民族的灵魂。文化自信是一个国家、一个民族发展中更基本、更深沉、更持久的力量。②要深入挖掘中华优秀传统文化蕴含的思想观念、人文精神、道德规范，结合时代要求继承创新，让中华文化展现出时代风采。

（五）强调加强劳动教育和实践教育

习近平总书记在同中华全国总工会新一届领导班子成员集体谈话时强调，加强对广大青少年的教育，让劳动最光荣、劳动最崇高、劳动最伟大、劳动最美丽的观念蔚然成风。③在全国教育大会上，习近平总书记指出，培养德智体美劳全面发展的社会主义建设者和接班人④，把“四育”提升为“五育”，彰显了劳动的价值，意义重大。要教育孩子从小热爱劳动、热爱创造，通过劳动和创造播种希望、收获果实，也通过劳动和创造磨炼意志、提高

---

① 习近平：《决胜全面建成小康社会　夺取新时代中国特色社会主义伟大胜利——在中国共产党第十九次全国代表大会上的报告》，《人民日报》2017 年 10 月 28 日。

② 习近平：《决胜全面建成小康社会　夺取新时代中国特色社会主义伟大胜利——在中国共产党第十九次全国代表大会上的报告》，《人民日报》2017 年 10 月 28 日。

③ 《习近平在同中华全国总工会新一届领导班子集体谈话时强调　竭诚服务职工群众维护职工群众权益　为实现中国梦再创新业绩再建新功勋》，《人民日报》2013 年 10 月 24 日。

④ 《习近平在全国教育大会上强调　坚持中国特色社会主义教育发展道路　培养德智体美劳全面发展的社会主义建设者和接班人》，《人民日报》2018 年 9 月 11 日。

自己。[1] 在北京大学师生座谈会上的讲话中，习近平总书记要求广大青年“要力行，知行合一，做实干家”。“学到的东西，不能停留在书本上，不能只装在脑袋里，而应该落实到行动上，做到知行合一、以知促行、以行求知，正所谓‘知者行之始，行者知之成’。”[2]

习近平总书记的上述论述，是对新时代中国特色社会主义教育发展规律的深刻把握和最新成果，深刻回答了如何培养人的重大问题。

三、立德树人是人民满意教育的根本要求

改革开放以来，党和国家在确立教育优先发展战略地位，深刻回答培养什么人、如何培养人的同时，也不断回答为谁培养人的重大问题。

全心全意为人民服务，是中国共产党的根本宗旨。党的十八大以来，以习近平同志为核心的党中央，在坚持教育优先发展战略地位的同时，更加重视贯彻以人民为中心的教育发展思想。2012 年 11 月 15 日，在当选中共中央总书记后首次与中外媒体的见面会上，习近平总书记表达了他对人民的感情——人民对美好生活的向往，就是我们的奋斗目标。[3] 他在十九届中央政治局常委同中外记者见面时再次强调，

① 习近平：《在庆祝“五一”国际劳动节暨表彰全国劳动模范和先进工作者大会上的讲话》，《人民日报》2015 年 4 月 29 日。

② 习近平：《在北京大学师生座谈会上的讲话》，《人民日报》2018 年 5 月 3 日。

③ 《习近平在十八届中共中央政治局常委同中外记者见面时强调　人民对美好生活的向往就是我们的奋斗目标》，《人民日报》2012 年 11 月 16 日。

我们要牢记人民对美好生活的向往就是我们的奋斗目标，坚持以人民为中心的发展思想，努力抓好保障和改善民生各项工作，不断增强人民的获得感、幸福感、安全感，不断推进全体人民共同富裕。① 他在党的十九大报告中指出："办好人民满意的教育……落实立德树人根本任务"②，深刻体现了以人民为中心的发展理念。立德树人，既是人民满意教育的根本要求，也是人民满意教育的根本标准，进一步回答了为谁培养人的重大问题。

2013 年 9 月，习近平主席在联合国"教育第一"全球倡议行动一周年纪念活动上发表的视频贺词中庄严承诺，努力让每个孩子享有受教育的机会，努力让 13 亿人民享有更好更公平的教育，获得发展自身、奉献社会、造福人民的能力。③

教育具有为人生奠基的重大意义，人民群众对教育的综合利益诉求可以概括为以下五个方面：

一是只有有利于满足人的学习需求的教育才是人民满意的教育，即"成学之教"。不断扩大优质教育机会，不断开拓人民接受教育机会的新途径，仍然是我国教育改革和发展面临的重要挑战。不过，满足人的学习机会的需求，绝不等同于人人都能上重点大学，而是为每个人提供适合的教育机会。

二是只有有利于满足人的成人需求的教育才是人民满意的教育，

---

① 《习近平在十九届中共中央政治局常委同中外记者见面时强调　新时代要有新气象更要有新作为　中国人民生活一定会一年更比一年好》，《人民日报》2017 年 10 月 26 日。

② 习近平：《决胜全面建成小康社会　夺取新时代中国特色社会主义伟大胜利——在中国共产党第十九次全国代表大会上的报告》，《人民日报》2017 年 10 月 28 日。

③ 《习近平主席在联合国"教育第一"全球倡议行动一周年纪念活动上发表视频贺词》，《人民日报》2013 年 9 月 27 日。

即“成人之教”。让每个孩子都成为身心健康的人，都成为遵纪守法的人，都成为诚实守信的人，都成为积极向上的人。

三是只有有利于满足人的就业谋生需求的教育才是人民满意的教育，即“成业之教”。教育要唤醒人的职业意识，要为人的就业谋生奠定坚实的基础。

四是只有有利于满足人的终身发展需求的教育才是人民满意的教育，即“成己之教”。教育要为人的终身发展奠基，要引发、培育、呵护人的终身学习兴趣和能力。

五是只有有利于满足人的终身幸福生活需求的教育才是人民满意的教育，即“幸福之教”。教育要为人生幸福奠基。

四、立德树人是实施素质教育的根本目的

党的十八大以来，习近平总书记多次强调，要深化教育改革，推进素质教育，创新教育方法，提高人才培养质量，努力形成有利于创新人才成长的育人环境。2016 年 9 月 9 日，习近平总书记在考察北京市八一学校时指出，素质教育是教育的核心。[①] 在党的十九大报告中，要求“发展素质教育”。[②]

坚持立德树人，发展素质教育，必须系统推进以下四个方面的改革：

---

① 《习近平在北京市八一学校考察时强调　全面贯彻落实党的教育方针　努力把我国基础教育越办越好》，《人民日报》2016 年 9 月 10 日。

② 习近平：《决胜全面建成小康社会　夺取新时代中国特色社会主义伟大胜利——在中国共产党第十九次全国代表大会上的报告》，《人民日报》2017 年 10 月 28 日。

（一）必须建立协调各方的共同育人观

习近平总书记强调，基础教育是全社会的事业，需要学校、家庭、社会密切配合。[①]立德树人是整个教育的根本任务，包含在德育、智育、体育、美育和劳育之中，包含在各门课程之中，包含在课内课外活动之中。

（二）必须树立育人为本的教师职业观

习近平总书记反复强调教师的职业道德建设，教师做的是传播知识、传播思想、传播真理的工作，是塑造灵魂、塑造生命、塑造人的工作。教师不能只做传授书本知识的教书匠，而要成为塑造学生品格、品行、品位的“大先生”。教师教给学生的知识，多年以后可能会过时，可能会被遗忘，但教给学生为人处世的道理是学生一生的财富，会让他们终生难忘。教师要成为学生做人的镜子，以身作则、率先垂范，以高尚的人格魅力赢得学生敬仰，以模范的言行举止为学生树立榜样，把真善美的种子不断播撒到学生心中。[②]习近平总书记要求广大教师要做“四有”好老师，要做“四个”引路人。他指出：“如果身在学校却心在商场或心在官场，在金钱、物欲、名利同人格的较量中把握不住自己，那是当不好老师的。”[③]在北京大学师生座谈会上的讲话中，习近平总书记要求：“要坚持教育者先受教育，让教师更

---

① 《习近平在北京市八一学校考察时强调　全面贯彻落实党的教育方针　努力把我国基础教育越办越好》，《人民日报》2016 年 9 月 10 日。

② 《习近平首次点评“95 后”大学生》，《人民日报》2017 年 1 月 3 日。

③ 习近平：《做党和人民满意的好老师——同北京师范大学师生代表座谈时的讲话》，《人民日报》2014 年 9 月 10 日。

好担当起学生健康成长指导者和引路人的责任。”“评价教师队伍素质的第一标准应该是师德师风。”[①] 鉴于对教师的深刻认识，习近平总书记在全国教育大会上指出，坚持把教师队伍建设作为基础工作。[②]

（三）必须统筹推进学生的全面发展

加强德育。习近平总书记强调，要用好课堂教学这个主渠道，思想政治理论课要坚持在改进中加强，提升思想政治教育亲和力和针对性，满足学生成长发展需求和期待，其他各门课都要守好一段渠、种好责任田，使各类课程与思想政治理论课同向同行，形成协同效应。[③]

改进智育。要注重学思结合。要勤学，下得苦功夫，求得真学问；要从知行合一上下功夫；[④] 要注重因材施教；要注重运用现代信息技术，“构建网络化、数字化、个性化、终身化的教育体系，建设‘人人皆学、处处能学、时时可学’的学习型社会。”[⑤]

强化体育。身体是人生一切奋斗成功的本钱，少年儿童要注意加强体育锻炼，家庭、学校、社会都要为少年儿童增强体魄创造条件，让他们像小树那样健康成长，长大后成为建设祖国的栋梁之才。[⑥]

---

① 习近平：《在北京大学师生座谈会上的讲话》，《人民日报》2018 年 5 月 3 日。

② 《习近平在全国教育大会上强调　坚持中国特色社会主义教育发展道路　培养德智体美劳全面发展的社会主义建设者和接班人》，《人民日报》2018 年 9 月 11 日。

③ 《习近平在全国高校思想政治工作会议上强调　把思想政治工作贯穿教育教学全过程　开创我国高等教育事业发展新局面》，《人民日报》2016 年 12 月 9 日。

④ 习近平：《青年要自觉践行社会主义核心价值观——在北京大学师生座谈会上的讲话》，《人民日报》2014 年 5 月 5 日。

⑤ 《习近平致国际教育信息化大会的贺信》，《人民日报》2015 年 5 月 24 日。

⑥ 《习近平总书记在参加首都义务植树活动时强调　把义务植树深入持久开展下去　为建设美丽中国创造更好生态条件》，《人民日报》2013 年 4 月 3 日。

更加重视美育。美育是审美教育，也是情操教育和心灵教育。党的十八届三中全会强调："改进美育教学，提高学生审美和人文素养。"①

加强劳动教育和文化育人。习近平总书记强调，劳动是人类的本质活动，劳动光荣、创造伟大是对人类文明进步规律的重要诠释。要教育孩子们从小热爱劳动、热爱创造，通过劳动和创造播种希望、收获果实。② 与此同时，习近平总书记特别强调要更加注重以文化人、以文育人，③ 加强中华优秀传统文化和革命文化、社会主义先进文化教育。④

（四）必须树立育人为本的教育政绩观和教育评价观

落实立德树人根本任务，就要深化教育改革，扭转不科学的教育评价导向。习近平总书记在全国教育大会上指出，坚决克服唯分数、唯升学、唯文凭、唯论文、唯帽子的顽瘴痼疾，从根本上解决教育评价指挥棒问题。⑤ 贯彻落实习近平总书记这一重要论述，就要做到如下方面：

---

① 《中共中央关于全面深化改革若干重大问题的决定》，《人民日报》2013 年 11 月 16 日。

② 习近平：《在庆祝"五一"国际劳动节暨表彰全国劳动模范和先进工作者大会上的讲话》，《人民日报》2015 年 4 月 29 日。

③ 《习近平在全国高校思想政治工作会议上强调 把思想政治工作贯穿教育教学全过程 开创我国高等教育事业发展新局面》，《人民日报》2016 年 12 月 9 日。

④ 参见习近平：《在庆祝中国共产党成立 95 周年大会上的讲话》，《人民日报》2016 年 7 月 2 日。

⑤ 《习近平在全国教育大会上强调 坚持中国特色社会主义教育发展道路 培养德智体美劳全面发展的社会主义建设者和接班人》，《人民日报》2018 年 9 月 11 日。

一要建立育人为本的教育政绩观。用单纯的考试升学“指挥棒”指挥学校教育，结果导致学校教育违背“育人为本”的教育本质，背离党的全面发展教育方针，脱离了科学发展的基本轨道。《国家中长期教育改革和发展规划纲要（2010—2020年）》强调：“要把推进教育事业科学发展作为各级党委和政府政绩考核的重要内容，完善考核机制和问责制度。”[①] 十八届中央全面深化改革领导小组第三十四次会议审议通过了《对省级人民政府履行教育职责的评价办法》，要求对省级人民政府履行教育职责进行评价。

二要建立育人为本的教育评价观。在北京大学师生座谈会上的讲话中，习近平总书记要求，“要把立德树人的成效作为检验学校一切工作的根本标准”。[②] 各级教育行政部门要建立符合全面依法治教、贯彻党的教育方针、实施课程方案、坚持立德树人的教育质量评价体系。要建立健全学生素质档案评价制度，完善考试招生制度。习近平总书记主持召开十八届中央全面深化改革领导小组第四次会议时强调，深化考试招生制度改革，形成分类考试、综合评价、多元录取的考试招生模式，构建衔接沟通各级各类教育、认可多种学习成果的终身学习立交桥。[③]

---

① 《国家中长期教育改革和发展规划纲要（2010—2020年）》，《人民日报》2010年7月30日。

② 习近平：《在北京大学师生座谈会上的讲话》，《人民日报》2018年5月3日。

③ 《习近平主持召开中央全面深化改革领导小组第四次会议强调　共同为改革想招一起为改革发力　群策群力把各项改革工作抓到位》，《人民日报》2014年8月19日。

第三章

坚持优先发展教育事业

中国将坚定实施科教兴国战略，始终把教育摆在优先发展的战略位置，不断扩大投入，努力发展全民教育、终身教育，建设学习型社会，努力让每个孩子享有受教育的机会，努力让13亿人民享有更好更公平的教育，获得发展自身、奉献社会、造福人民的能力。

——习近平主席在联合国“教育第一”全球倡议行动一周年纪念活动上发表的视频贺词

习近平总书记关于教育的重要论述是习近平新时代中国特色社会主义思想的重要组成部分，系统回答了中国特色社会主义教育举什么旗、走什么路、培养什么人、怎么培养人等根本问题，系统阐明了中国特色社会主义教育的理论内涵、历史使命、目标任务及方法路径，是新时代中国特色社会主义教育事业发展的行动指南。

习近平总书记站在中国特色社会主义事业全局高度，深刻洞察教育的基础性、先导性、全局性作用，强调要把教育摆在优先发展的战略地位。习近平总书记在党的十九大报告中指出："建设教育强国是中华民族伟大复兴的基础工程，必须把教育事业放在优先位置，深化教育改革，加快教育现代化，办好人民满意的教育。"① 这几句话不仅提出了建设教育强国的战略目标和任务，同时也为我们深刻领会习近平总书记优先发展教育事业的论断提供了很好的注脚。在全国教育大会上，习近平总书记又一次重申，坚持优先发展教育事业。② 习近平总书记优先发展教育的论断具有鲜明的时代特色和丰富的理论内涵，对于社会主义现代化强国建设、教育现代化及教育强国建设具有重要

① 习近平：《决胜全面建成小康社会　夺取新时代中国特色社会主义伟大胜利——在中国共产党第十九次全国代表大会上的报告》，《人民日报》2017 年 10 月 28 日。

② 《习近平在全国教育大会上强调　坚持中国特色社会主义教育发展道路　培养德智体美劳全面发展的社会主义建设者和接班人》，《人民日报》2018 年 9 月 11 日。

的指导作用和深远的现实意义。

一、优先发展教育事业是建设教育强国的必然要求

习近平总书记关于优先发展教育事业的思想是建立在对社会主义现代化建设和中华民族伟大复兴的历史进程中教育所具有的先导性、基础性、全局性作用的深刻认识基础上的。

（一）优先发展教育事业是建设人才强国的重要前提

社会主义现代化强国需要数以亿计的人才来建设，需要强大的人才队伍来支持。因此强国必须先强教育，社会主义现代化强国必须有现代化的教育为支撑；要实现国家现代化，必须率先实现教育现代化。习近平总书记反复强调，国家发展靠人才，民族振兴靠人才。他在同北京师范大学师生代表座谈时指出："人才越来越成为推动经济社会发展的战略性资源，教育的基础性、先导性、全局性地位和作用更加突显。"① 人是科技创新最关键的因素。谈及建设科技强国时，他强调："一切科技创新活动都是人做出来的。我国要建设世界科技强国，关键是要建设一支规模宏大、结构合理、素质优良的创新人才队伍，激发各类人才创新活力和潜力。"② 他还指出："'两个一百年'奋斗目标的实现、中华民族伟大复兴中国梦的实现，归根到底靠人才、

① 习近平：《做党和人民满意的好老师——同北京师范大学师生代表座谈时的讲话》，《人民日报》2014年9月10日。

② 习近平：《为建设世界科技强国而奋斗——在全国科技创新大会、两院院士大会、中国科协第九次全国代表大会上的讲话》，《人民日报》2016年6月1日。

靠教育。源源不断的人才资源是我国在激烈的国际竞争中的重要潜在力量和后发优势。”①

改革开放以来，特别是党的十八大以来，我国先后提出了人才强国、科技强国、制造强国、文化强国等一系列强国建设的战略目标和任务。而无论什么强国，都需要强大的人力资本、强有力的人才队伍来支撑，都需要教育强国来支撑。所以，强国必先强教育。正如习近平总书记在 2018 年 5 月 2 日同北京大学师生座谈会上所指出的，教育兴则国家兴，教育强则国家强。② 实现中华民族伟大复兴，教育的地位和作用不可忽视。我们对高等教育的需要比以往任何时候都更加迫切，对科学知识和卓越人才的渴求比以往任何时候都更加强烈。③ 人才是创新的根基，是创新的核心要素。习近平总书记还指出，创新驱动实质上是人才驱动。为了加快形成一支规模宏大、富有创新精神、敢于承担风险的创新型人才队伍，要重点在用好、吸引、培养上下功夫。④ 无论是经济建设、政治建设、文化建设、社会建设、生态文明建设，还是实施科教兴国战略、人才强国战略、创新驱动发展战略、乡村振兴战略、区域协调发展战略、可持续发展战略、军民融合发展战略，都离不开人，离不开人力资源开发和人才培养，离不开教育的支撑。

---

① 习近平：《做党和人民满意的好老师——同北京师范大学师生代表座谈时的讲话》，《人民日报》2014 年 9 月 10 日。

② 习近平：《在北京大学师生座谈会上的讲话》，《人民日报》2018 年 5 月 3 日。

③ 《习近平在全国高校思想政治工作会议上强调 把思想政治工作贯穿教育教学全过程 开创我国高等教育事业发展新局面》，《人民日报》2016 年 12 月 9 日。

④ 《习近平主持召开中央财经领导小组第七次会议强调 加快实施创新驱动发展战略 加快推动经济发展方式转变》，《人民日报》2014 年 8 月 19 日。

（二）优先发展教育事业是实现中华民族伟大复兴，提升国家核心竞争力，提高国民素质的必然选择

一个国家的政治文明、物质文明、精神文明、社会文明、生态文明，归根结底都是建立在国民素质基础上的，国民素质是一个国家的核心竞争力。教育是提高国民素质、增强国家竞争力的有效途径。劳动者素质对一个国家、一个民族的发展至关重要。习近平总书记指出，我们要始终高度重视提高劳动者素质，培养宏大的高素质劳动者大军。提高包括广大劳动者在内的全民族文明素质，是民族发展的长远大计。要深入实施科教兴国战略、人才强国战略、创新驱动发展战略，把提高职工队伍整体素质作为一项战略任务抓紧抓好，实施职工素质建设工程，推动建设宏大的知识型、技术型、创新型劳动者大军。① 中国是发展中的人口大国，要把我国从人力资源大国建设成为人力资源强国，关键在教育。习近平总书记曾高屋建瓴地指出："千秋基业，人才为先。实现中华民族伟大复兴，人才越多越好，本事越大越好。我国是一个人力资源大国，也是一个智力资源大国，我国 13 亿多人大脑中蕴藏的智慧资源是最可宝贵的。知识就是力量，人才就是未来。"②

（三）优先发展教育事业是提升我国综合国力与国际竞争力的重要战略举措

教育发展水平决定一个国家的核心竞争力。习近平总书记曾指

---

① 习近平：《在庆祝"五一"国际劳动节暨表彰全国劳动模范和先进工作者大会上的讲话》，《人民日报》2015 年 4 月 29 日。

② 习近平：《在中国科学院第十七次院士大会、中国工程院第十二次院士大会上的讲话》，《人民日报》2014 年 6 月 10 日。

出："当今世界，综合国力竞争日趋激烈……综合国力竞争说到底是人才竞争。人才资源作为经济社会发展第一资源的特征和作用更加明显，人才竞争已经成为综合国力竞争的核心。谁能培养和吸引更多优秀人才，谁就能在竞争中占据优势。"①他还强调，"中国这么多人，教育上去了，将来人才就会像井喷一样涌现出来。这是最有竞争力的。"②源源不断的人才资源是我国在激烈的国际竞争中的重要潜在力量和后发优势。

（四）优先发展教育事业是中国特色社会主义新时代赋予的新的历史使命

新时代赋予教育新的历史使命，同时也对教育提出了更高要求。全面建成小康社会，全面建设现代化强国要求教育加快现代化步伐，建设教育强国，提供更加有力的人才及智力支撑；创造美好生活、实现全体人民共同富裕，要求教育要为改善民生、促进人的发展和社会公平发挥更大作用，更好地满足人民日益增长的良好教育需求；实现中华民族伟大复兴的中国梦，要求教育为提高国民素质、知识、能力与技能水平作出更大贡献；走近世界舞台中央、对人类作出更大贡献，要求教育培养更多参与全球治理的国际化人才。完成教育的新使命和对教育的新要求，必须坚持教育优先发展战略。

---

① 习近平：《在欧美同学会成立100周年庆祝大会上的讲话》，《人民日报》2013年10月22日。

② 中央文献研究室编：《习近平关于科技创新论述摘编》，中央文献出版社2016年版，第107页。

二、优先发展教育事业是立德树人的本质要求

教育是培养人的事业，事关培养什么人、怎样培养人、为谁培养人的根本问题。教育是关乎意识形态的上层建筑，是培育年轻一代世界观、人生观和价值观的重要舞台，是公民道德建设的重要阵地。作为培育和践行社会主义核心价值观的主阵地，我国教育事业的根本任务是立德树人，即培养德智体美劳全面发展的社会主义事业合格建设者和可靠接班人。这个根本任务要求教育要为提高人民思想觉悟、道德水准、文明素养服务，为提高全社会文明程度服务，为理想信念教育、中国特色社会主义和中国梦宣传教育、民族精神和时代精神教育、爱国主义教育、集体主义教育、社会主义教育服务，为引导人们树立正确的历史观、民族观、国家观和文化观服务。

习近平总书记非常重视教育在立德树人中的重要作用。他在全国高校思想政治工作会议上指出，高等教育要为人民服务，为中国共产党治国理政服务，为巩固和发展中国特色社会主义制度服务，为改革开放和社会主义现代化建设服务。① 强调教育的“四个服务”，是习近平总书记教育优先发展论断政治性的集中体现。

青少年决定着国家的未来。中国特色社会主义事业是面向未来的事业，需要一代又一代有理想、有信念、有能力的青年薪火相传、砥砺奋斗。习近平总书记着眼于中国特色社会主义事业的永续发展，高度关注青少年的教育和培养。他指出，青年一代有理想、有担当，国

① 《习近平在全国高校思想政治工作会议上强调　把思想政治工作贯穿教育教学全过程　开创我国高等教育事业发展新局面》，《人民日报》2016 年 12 月 9 日。

家就有前途，民族就有希望。① 他强调，培育和弘扬社会主义核心价值观，要从娃娃抓起、要从学校抓起。② 他要求学校牢牢把握社会主义办学方向，坚持以马克思主义为指导，坚持党对高校的领导，增强道路自信、理论自信、制度自信、文化自信。③ 他深情寄语广大青年要勤学、修德、明辨、笃实。④ 要使教育承担好立德树人的根本任务，更好地培育社会主义核心价值观，更有效地进行理想信念教育，更深入地弘扬中华优秀传统文化、革命文化、社会主义先进文化，党和国家必须加强各级学校的能力建设，优化素质教育育人环境，全面提高教师队伍的素质与能力，这要求政府和社会持续加大教育投入，坚持优先发展教育事业。

三、优先发展教育事业是改善民生的必然选择

当今社会，教育是个人发展、人民美好生活的基础，教育对改善民生的积极作用日益凸显。教育是促进人的全面发展的主要途径，通过教育和学习就能使人的素质、知识、能力及技能水平得到提升，可持续发展的能力得到增强。教育能帮助弱势人群改变观念、提高知识和技能水平，是缩小知识差距、促进社会公平的有效手段，也是贫困

---

① 习近平：《在同各界优秀青年代表座谈时的讲话》，《人民日报》2013 年 5 月 5 日。

② 《习近平在中共中央政治局第十三次集体学习时强调　把培育和弘扬社会主义核心价值观作为凝魂聚气强基固本的基础工程》，《人民日报》2014 年 2 月 26 日。

③ 《习近平在全国高校思想政治工作会议上强调　把思想政治工作贯穿教育教学全过程　开创我国高等教育事业发展新局面》，《人民日报》2016 年 12 月 9 日。

④ 习近平：《青年要自觉践行社会主义核心价值观——在北京大学师生座谈会上的讲话》，《人民日报》2014 年 5 月 5 日。

人群增强可持续脱贫能力的关键。习近平主席在联合国“教育第一”全球倡议行动一周年纪念活动上发表的视频贺词中指出，教育是人类传承文明和知识、培养年轻一代、创造美好生活的根本途径。要努力发展全民教育、终身教育，建设学习型社会，努力让每个孩子享有受教育的机会，努力让13亿人民享有更好更公平的教育，获得发展自身、奉献社会、造福人民的能力。①

教育为人民服务是我国社会主义教育事业的出发点和落脚点，是党的教育方针始终坚持的基本原则。高度重视教育对改善民生的重要作用，强调办好人民满意的教育，教育为人人出彩提供支撑，这是习近平总书记以人民为中心的思想同优先发展教育思想的结合点，是以人民为中心的治国理政思想在国家发展战略中的具体体现。

教育是人民群众最关心最直接最现实的利益问题之一。党的十八大以来，党和国家不断完善教育基本公共服务体系，着力促进教育公平，努力缩小教育发展上的区域、城乡、校际差距，公共教育资源优先向农村地区、民族地区倾斜，人民对教育的满意度不断提高。随着教育优先发展战略地位的初步确立，2012年以来，我国财政性教育投入占国内生产总值的比重持续保持在4%以上的水平，各级各类学校的办学条件得到改善，学生资助体系也不断完善。2012年至2017年，我国学前教育三年毛入园率、高等教育毛入学率分别提高了约15个百分点。

但是，随着中国特色社会主义进入新时代，人民日益增长的良好教育需求同教育发展不平衡不充分之间的矛盾成为主要矛盾。一方面

① 《习近平主席在联合国“教育第一”全球倡议行动一周年纪念活动上发表视频贺词》，《人民日报》2013年9月27日。

是人民群众对教育机会、质量和公平的需求越来越多、越来越强。另一方面，教育发展不平衡不充分主要体现在公平、质量与效益等方面。各级各类教育发展不协调，普及学前教育和高中阶段教育任务艰巨。教育公平有待进一步促进，教育发展在区域、城乡、校际及人群之间仍存在明显差距。在教育质量方面，推进素质教育任重道远，创新人才培养亟待加强。

优先发展教育事业必须始终把人民利益摆在至高无上的地位，要让教育改革发展成果更多更公平地惠及全体人民。为此，党的十九大报告提出，推动城乡义务教育一体化发展，高度重视农村义务教育，办好学前教育、特殊教育和网络教育，普及高中阶段教育，努力让每个孩子都能享有公平而有质量的教育。办好继续教育，加快建设学习型社会，大力提高国民素质。[①] 我国教育要完成党的十九大提出的这些战略任务，必须在坚持优先发展的基础上，着力解决好发展不平衡不充分问题，大力提升教育发展质量和效益，更好地满足人民在教育公平、教育质量方面日益增长的需要，更好地推动人的全面发展、社会全面进步。

① 习近平：《决胜全面建成小康社会　夺取新时代中国特色社会主义伟大胜利——在中国共产党第十九次全国代表大会上的报告》，《人民日报》2017 年 10 月 28 日。

第四章

坚持社会主义办学方向

我国是中国共产党领导的社会主义国家，这就决定了我们的教育必须把培养社会主义建设者和接班人作为根本任务，培养一代又一代拥护中国共产党领导和我国社会主义制度、立志为中国特色社会主义奋斗终身的有用人才。这是教育工作的根本任务，也是教育现代化的方向目标。

——习近平总书记在全国教育大会上的讲话

习近平总书记在全国教育大会上发表的重要讲话中，用“九个坚持”来概括新时代坚持中国特色社会主义教育发展道路的基本要求，其中一个就是坚持社会主义办学方向。这是新时代坚持和发展中国特色社会主义教育的根本原则。“君子务本，本立而道生”。社会主义办学方向就是“本”。忽视和弱化对社会主义办学方向的坚持，在培养人的问题上走偏了，我们为之奋斗的现代化事业就会失去方向和目标。办好中国特色、世界水平的现代教育，最重要的就是在事关办学方向的问题上站稳立场。

一、把培养德智体美劳全面发展的社会主义建设者和接班人作为根本培养任务

坚持社会主义办学方向，就要把“培养德智体美劳全面发展的社会主义建设者和接班人”作为根本培养任务。

培养什么人，是教育的首要问题。在习近平总书记关于教育的重要论述中，谈的最多的就是立德树人。党的十九大刚结束，习近平总书记出席清华大学相关活动时就指出，教育就是要培养中国特色社会主义事业的建设者和接班人，而不是旁观者和反对派。[①]2018 年 5

① 《习近平会见清华大学经济管理学院顾问委员会海外委员和中方企业家委员》，《人民日报》2017 年 10 月 31 日。

月，北京大学120周年校庆，习近平总书记与北京大学师生座谈时又指出："大学是立德树人、培养人才的地方，是青年人学习知识、增长才干、放飞梦想的地方。借此机会，我想就学校培养什么样的人、怎样培养人，同各位同学和老师交流一下看法。我先给一个明确答案，就是我们的教育要培养德智体美全面发展的社会主义建设者和接班人。"[①]

在全国教育大会上，习近平总书记再次强调，我国是中国共产党领导的社会主义国家，这就决定了我们的教育必须把培养社会主义建设者和接班人作为根本任务，培养一代又一代拥护中国共产党领导和我国社会主义制度、立志为中国特色社会主义奋斗终身的有用人才。这是教育工作的根本任务，也是教育现代化的方向目标。[②]

习近平总书记在全国教育大会上还特别强调了劳动教育的重要性，强调要在学生中弘扬劳动精神，教育引导学生崇尚劳动、尊重劳动，懂得劳动最光荣、劳动最崇高、劳动最伟大、劳动最美丽的道理，长大后能够辛勤劳动、诚实劳动、创造性劳动。指出构建德智体美劳全面培养的教育体系，形成更高水平的人才培养体系，[③]使我国社会主义教育的培养目标更为完整。

坚持社会主义办学方向，构建德智体美劳全面培养的教育体系，培养德智体美劳全面发展的社会主义建设者和接班人，就要把"综合

① 习近平：《在北京大学师生座谈会上的讲话》，《人民日报》2018年5月3日。

② 《习近平在全国教育大会上强调　坚持中国特色社会主义教育发展道路　培养德智体美劳全面发展的社会主义建设者和接班人》，《人民日报》2018年9月11日。

③ 《习近平在全国教育大会上强调　坚持中国特色社会主义教育发展道路　培养德智体美劳全面发展的社会主义建设者和接班人》，《人民日报》2018年9月11日。

协同育人”作为根本途径。

要牢牢抓好课堂教学育人主渠道。课程是实现育人目标的重要载体，体现着国家意志，在落实立德树人根本任务中发挥着重大作用。要严格落实义务教育和普通高中课程方案以及各学科课程标准，切实保证中小学开齐开足开好各门规定的课程，为培养时代新人打下坚实的共同基础。教材是课程的主要载体，加强中小学教材建设，要全面推广语文、历史、道德与法治三科统编教材，规范各学科国家课程教材的使用管理，坚决避免以校本课程教材、引进课程教材替代国家课程教材等现象，切实维护教材的权威性和严肃性。要准确把握课程标准和教材，充分激发中小学校长课程领导力和教师课程实施力，围绕核心素养开展教学与评价，促进学生自主、合作、探究学习。要注重实践育人，“梦想从学习开始，事业从实践起步”，[①]“我们的学习应该是全面的、系统的、富有探索精神的，既要抓住学习重点，也要注意拓展学习领域；既要向书本学习，也要向实践学习；既要向人民群众学习，向专家学者学习，也要向国外有益经验学习。学习有理论知识的学习，也有实践知识的学习”[②]。要坚持知行合一、学以致用，在改革开放和社会主义现代化建设的大熔炉中，在社会的大学校里，掌握真才实学，增益其所不能，努力成为可堪大用、能担重任的栋梁之材，成为担当民族复兴大任的时代新人。

---

① 习近平：《在欧美同学会成立100周年庆祝大会上的讲话》，《人民日报》2013年10月22日。

② 习近平：《在中央党校建校80周年庆祝大会暨2013年春季学期开学典礼上的讲话》，《人民日报》2013年3月3日。

二、把“四个服务”作为根本要求

坚持社会主义办学方向，就要把“四个服务”作为根本要求。

培养什么人、怎样培养人、为谁培养人，是教育的根本问题。2016年12月，习近平总书记在全国高校思想政治工作会议上强调，教育发展方向要同我国发展的现实目标和未来方向紧密联系在一起，坚持“为人民服务，为中国共产党治国理政服务，为巩固和发展中国特色社会主义制度服务，为改革开放和社会主义现代化建设服务”的新要求。[①] 坚持“四个服务”，是统筹推进“五位一体”总体布局和协调推进“四个全面”战略布局的要求，是统筹促进教育服务人的发展和教育服务社会发展的要求。“四个服务”揭示了我国教育的社会主义性质和方向。

全国人大常委会2015年12月27日修订的《中华人民共和国教育法》规定：“教育必须为社会主义现代化建设服务、为人民服务，必须与生产劳动和社会实践相结合，培养德、智、体、美等方面全面发展的社会主义建设者和接班人。”习近平总书记提出的“四个服务”是教育方针中“两个服务”的具体化；“四个服务”和“德智体美劳”五育并举，丰富和发展了党的教育方针。

坚持社会主义办学方向，把“四个服务”作为根本要求，就要把“坚持以人民为中心发展教育”作为根本宗旨。办教育的目的是为了人民，发展教育必须把人民群众对公平而有质量的教育需求作为奋斗目标。当前，教育发展不平衡、不充分，已经成为满足人民群众日益

---

① 《习近平在全国高校思想政治工作会议上强调　把思想政治工作贯穿教育教学全过程　开创我国高等教育事业发展新局面》，《人民日报》2016年12月9日。

强烈的对公平、优质、多样、特色需求的主要制约因素。要让人民在教育上有获得感，就要认真解决好当前在人民群众中普遍存在的教育问题，让每个孩子都有人生出彩的机会。要努力构建德智体美劳全面培养的教育体系，形成更高水平的人才培养体系，培养学生的核心价值观、必备品格和关键能力。要把立德树人融入思想道德教育、文化知识教育、社会实践教育各环节，贯穿基础教育、职业教育、高等教育各领域，学科体系、教学体系、教材体系、管理体系要围绕这个目标来设计，教师要围绕这个目标来教，学生要围绕这个目标来学。凡是不利于实现这个目标的做法，都要坚决改过来。

三、把坚持社会主义意识形态作为根本特征

坚持社会主义办学方向，就要把坚持社会主义意识形态作为根本特征。

马克思主义是我们立党立国的根本指导思想，也是我国教育最鲜亮的底色。要牢牢把握学校意识形态工作领导权、管理权、话语权，坚持马克思主义指导地位不动摇，坚持不懈传播马克思主义科学理论，抓好马克思主义理论教育，为学生一生成长奠定科学的思想基础。

"革命理想高于天"①，"理想信念就是共产党人精神上的'钙'"②，要把理想信念教育放在首位，牢固树立共产主义远大理想和中国特色

① 习近平：《决胜全面建成小康社会　夺取新时代中国特色社会主义伟大胜利——在中国共产党第十九次全国代表大会上的报告》，《人民日报》2017年10月28日。

② 习近平：《紧紧围绕坚持和发展中国特色社会主义　学习宣传贯彻党的十八大精神》，《人民日报》2012年11月19日。

社会主义共同理想。要加强中华民族伟大复兴中国梦教育，“青年一代有理想、有本领、有担当，国家就有前途，民族就有希望”。① 我们进行伟大斗争、建设伟大工程、推进伟大事业，就是为了实现伟大梦想。“人生的扣子从一开始就要扣好”②，要把培育和弘扬社会主义核心价值观作为凝魂聚气、强基固本的基础工程，把社会主义核心价值观融入国民教育全过程，落细、落小、落实，入耳、入脑、入心，让核心价值观的种子在少年儿童心中生根发芽，引导广大师生做社会主义核心价值观的坚定信仰者、积极传播者、模范践行者。要推动中华优秀传统文化创造性转化、创新性发展，继承革命文化，发展社会主义先进文化，不忘本来、吸收外来、面向未来，更好地构筑中国精神、中国价值、中国力量，为人民提供精神指引。要把中国特色社会主义道路自信、理论自信、制度自信、文化自信转化为办好中国特色、世界水平的现代教育的自信。

办好中国的事情，关键在党。中国特色社会主义最本质的特征是中国共产党领导，中国特色社会主义制度的最大优势是中国共产党领导。“党政军民学，东西南北中，党是领导一切的。”③ 党的领导是引领中国特色社会主义教育事业不断前进的最大政治优势。党的十八大以来，我国教育事业发展之所以实现历史性变革、取得历史性成就，根本在于以习近平同志为核心的党中央的正确领导，根本在于习近平

---

① 习近平：《决胜全面建成小康社会 夺取新时代中国特色社会主义伟大胜利——在中国共产党第十九次全国代表大会上的报告》，《人民日报》2017 年 10 月 28 日。

② 习近平：《青年要自觉践行社会主义核心价值观——在北京大学师生座谈会上的讲话》，《人民日报》2014 年 5 月 5 日。

③ 习近平：《决胜全面建成小康社会 夺取新时代中国特色社会主义伟大胜利——在中国共产党第十九次全国代表大会上的报告》，《人民日报》2017 年 10 月 28 日。

新时代中国特色社会主义思想的科学指引，根本在于党对教育事业的领导得到全面加强。教育是国之大计、党之大计，中国共产党是中国特色社会主义教育事业的领导核心。办好我国教育，必须坚持党的领导，牢牢掌握党对学校工作的领导权，使学校成为坚持党的领导的坚强阵地。各级党委要把教育改革发展纳入议事日程，党政主要负责同志要熟悉教育、关心教育、研究教育。各级党组织为满足人民群众对“更好的教育”的期盼，必须坚持把教育放在优先发展的战略位置。教育部门和中小学校要坚持以“四个意识”导航、以“四个自信”强基、以“两个维护”铸魂，自觉在政治立场、政治方向、政治原则、政治道路上同党中央保持高度一致，将学校党组织建设成为基层先锋战斗堡垒。

四、把教师队伍建设作为根本依靠

坚持社会主义办学方向，就要把“教师队伍建设”作为根本依靠。

教师是立教之本、兴教之源，肩负着传播知识、传播思想、传播真理，塑造灵魂、塑造生命、塑造人的时代重任，是教育发展的第一资源。如果说今天的学生是未来实现中华民族伟大复兴中国梦的主力军，广大教师就是打造这支中华民族“梦之队”的筑梦人。这是今天中国教师所要扛起的历史担当。习近平总书记在充分肯定教师工作贡献的同时，对广大教师提出殷切期望，希望广大教师牢固树立中国特色社会主义理想信念，牢固树立终身学习理念，牢固树立改革创新意识；坚持教书和育人相统一，坚持言传和身教相统一，坚持潜心问道和关注社会相统一，坚持学术自由和学术规范相统一；成为有理想信念、有道德情操、有扎实学识、有仁爱之心的“四有”好老师；做学生锤炼品格的引路人，做学生学习知识的引路人，做学生创新思维的引路人，做学生奉献祖国的引路人。

坚持社会主义办学方向，建设社会主义现代化强国，要求我们认识到教师工作的极端重要性，把加强教师队伍建设作为教育事业发展最重要的基础工作来抓，对全党全社会尊师重教提出新的更高要求。要确保党牢牢掌握教师队伍建设的领导权，保证教师队伍建设正确的政治方向。要把提高教师思想政治素质和职业道德水平摆在首要位置，把社会主义核心价值观贯穿教书育人全过程，推动教师成为先进思想文化的传播者、党执政的坚定支持者、学生健康成长的指导者。要把教师工作置于教育事业发展的重点支持战略领域，打造政治过硬、业务精湛的教师队伍。要营造尊师重教蔚然成风的社会环境，努力提高教师政治地位、社会地位、职业地位，使广大教师在岗位上有幸福感、事业上有成就感、社会上有荣誉感，使教师享有应有的社会声望，成为让人羡慕的职业。

第五章

坚持扎根中国大地办教育

在党的坚强领导下，全面贯彻党的教育方针，坚持马克思主义指导地位，坚持中国特色社会主义教育发展道路，坚持社会主义办学方向，立足基本国情，遵循教育规律，坚持改革创新，以凝聚人心、完善人格、开发人力、培育人才、造福人民为工作目标，培养德智体美劳全面发展的社会主义建设者和接班人，加快推进教育现代化、建设教育强国、办好人民满意的教育。

——习近平总书记在全国教育大会上的讲话

党的十八大以来，以习近平同志为核心的党中央对我国教育改革发展形成了一系列新理念新思想新观点。习近平总书记在全国教育大会上明确指出，要坚持扎根中国大地办教育。这是对教育事业规律性的深化认识，更是引领我国教育事业发展、办好中国特色社会主义教育的“指南针”、“定盘星”。如何准确认识这一科学论断，把握其中的丰富内涵，需要我们从为什么要扎根中国大地办教育、如何扎根中国大地办好教育以及扎根中国大地应办成什么样的教育这三个维度进行深入思考。

一、为什么要扎根中国大地办教育

任何一个事物的发展都必须有适合其生长的环境和土壤。教育也是一样。任何一个国家的教育发展都是建立在其自身历史土壤之上的，由于历史条件、文化传统和具体国情不同，各国教育都有各自独特的内在逻辑和生成规律。习近平总书记强调，坚持党对教育事业的全面领导，坚持把立德树人作为根本任务，坚持优先发展教育事业，坚持社会主义办学方向，坚持扎根中国大地办教育，坚持以人民为中心发展教育，坚持深化教育改革创新，坚持把服务中华民族伟大复兴作为教育的重要使命，坚持把教师队伍建设作为基础工作。这就意味着，办好中国特色社会主义教育必须牢牢扎根于中国大地，要始终坚持一切从中国实际和中国国情出发，继承而不守旧，借鉴而不照搬，追赶而不追随。

（一）坚持扎根中国大地办教育是由矛盾的普遍性与特殊性原理所决定的

马克思主义认为，任何事物的发展都是矛盾的普遍性与特殊性的辩证统一。从一个国家的教育事业看，教育发展规律有普遍性（共性），需要各国政府和教育管理者给予基本遵循；在遵循教育规律的同时，又要根据各国的国情，走出一条适合自己国家发展的办学之路，这是由本国教育事业发展的特殊性（个性）决定的。因此，办好中国的教育必须遵循矛盾的普遍性和特殊性辩证统一的基本原理，要牢牢扎根在中国大地上，将教育发展的基本规律与中国实际相结合，走出一条符合中国实际、具有中国特色的教育发展之路。

比如，从中国高等教育的发展历程看，我们先后学习欧美发达国家和苏联的办学模式，有的地方和高校甚至照抄照搬西方的办学模式与评价体系，没有真正扎根中国大地、立足自身国情办大学。虽然欧美发达国家和苏联的成功办学经验值得学习借鉴，但中国高等教育与之相比有着极大差异，兴起的历史背景不同，发展的制度和路径不同，承担的历史使命和时代责任也完全不同。中国高等教育发展所面临的独特性要求，需要我们扎根于中国大地办教育。中小学教育和职业教育也同样，都需要根据新的时代特征与环境背景，牢牢扎根中国土壤，办好中国特色社会主义的中小学教育与职业教育。

当今，中国特色社会主义进入了新时代，中国发展进入了新的历史阶段，中华民族迎来了从站起来、富起来到强起来的伟大飞跃，迎来了实现中华民族伟大复兴的光明前景。这是中国教育发展所面临的新的时代特征和环境背景，也是中国教育发展所应该立足的独特历史、独特文化和独特国情。

（二）坚持扎根中国大地办教育是由我国教育的根本任务所决定的

不同社会制度决定着不同的教育目的，一个国家办教育的根本目标是为这个国家和民族的发展服务。我国是中国共产党领导的社会主义国家，这就决定了我们的教育必须把培养社会主义建设者和接班人作为根本任务，培养一代又一代拥护中国共产党领导和我国社会主义制度、立志为中国特色社会主义奋斗终身的有用人才。当今世界各国的竞争，根本上是人才的竞争。习近平总书记曾经指出，“‘两个一百年’奋斗目标的实现、中华民族伟大复兴中国梦的实现，归根到底靠人才、靠教育。源源不断的人才资源是我国在激烈的国际竞争中的重要潜在力量和后发优势。”[①] 虽然我们对教育的需要比以往任何时候都更加迫切，对科学知识和卓越人才的渴求比以往任何时候都更加强烈，但我们需要的是符合中国国情的教育，能始终根据党和国家的发展战略、牢牢把握正确的办学方向、实现“四个服务”的教育。

科技无国界，人才有祖国。党的十八大以来，我国教育始终围绕培养什么人、怎样培养人、为谁培养人这一根本问题进行深入的改革探索与实践。要解答好这一根本问题，关键就在于我们既要充

① 习近平：《做党和人民满意的好老师——同北京师范大学师生代表座谈时的讲话》，《人民日报》2014年9月10日。

分吸收国际先进办学治学经验，更要立足中国实际，坚定中国特色社会主义道路自信、理论自信、制度自信、文化自信，按照“中国特色、世界水平”的要求，在中国特色社会主义的土壤上扎好根、深扎根，深入学习习近平总书记关于教育的重要论述，充分汲取五千年中华优秀文化的丰富营养，把中国特色社会主义的先进基因传承好、发扬好，真正办好具有中国特色的各级各类教育。

（三）坚持扎根中国大地办教育将为世界教育的发展提供中国智慧和中国方案

党的十九大报告指出，中国特色社会主义进入新时代，拓展了发展中国家走向现代化的途径，给世界上那些既希望加快发展又希望保持自身独立性的国家和民族提供了全新选择，为解决人类问题贡献了中国智慧和中国方案。①

这些智慧和方案理应包括中国教育的发展。中国教育经过多年的实践积淀和改革探索，在经历了吸收和借鉴的必经阶段后，以越来越显著的发展成就吸引着世人的关注，也使得中国教育工作者开始重新审视中国教育改革与发展的独特价值。中国国情的复杂性、地域发展的不平衡性、特有的历史文化背景都决定了，要办好中国教育不能一味靠外来经验的输入，更不能照抄照搬西方国家的办学模式或办学经验，必须扎根中国的土壤，要用自己的科学发展观和思想体系去引领，要用社会主义先进文化、社会主义核心价值观去滋补营养培育成长，进而形成一个具有中国特色的本土化解决方案。

---

①　习近平：《决胜全面建成小康社会　夺取新时代中国特色社会主义伟大胜利——在中国共产党第十九次全国代表大会上的报告》，《人民日报》2017年10月28日。

二、如何扎根中国大地办好教育

扎根中国大地办好中国特色社会主义教育，不是一句简单的动员式口号，而是一项系统工程，需要深刻把握扎根中国大地与办好中国特色社会主义教育两者之间的辩证关系和内在逻辑，同时也要把握好认识论、方法论、价值论等多个方面。

（一）坚持党的领导与遵循教育规律的统一

加强党对教育工作的全面领导，是办好中国特色社会主义教育的根本保证。教育部门和各级各类学校党组织要把抓好学校党建工作作为办学治校的基本功，要把党的教育方针全面贯彻到学校工作各方面，坚持社会主义办学方向；要始终坚持把立德树人作为学校的根本任务，把思想政治工作贯穿学校教育管理全过程，把立德树人成效作为检验学校一切工作的根本标准，不断增强“四个意识”，坚定“四个自信”，坚决做到“两个维护”，引领学校广大师生自觉在政治立场、政治方向、政治原则、政治道路上同党中央保持高度一致，要把我们的特色和优势有效转化为培养社会主义建设者和接班人的能力。

同时，要遵循教育发展规律、思想政治工作规律和学生成长成才规律，要坚持按规律办事，不断深化学校体制机制改革，坚持把服务中华民族伟大复兴作为教育的重要使命，积极推动学校科学发展。比如，要把立德树人融入思想道德教育、文化知识教育、社会实践教育各环节，贯穿基础教育、职业教育、高等教育各领域，学科体系、教学体系、教材体系、管理体系都要围绕这个目标进行科学设计，不断提升办学质量。

（二）坚持学校为主体与多方紧密配合的统一

教育是全社会的事业，需要多方力量的紧密配合。习近平总书记指出，办好教育事业，家庭、学校、政府、社会都有责任。[①] 这就意味着，中国特色社会主义教育是一个需要多方协同配合形成教育合力的有机整体。它既要充分发挥家庭、学校、政府、社会各自的教育功能，又要互相紧密配合、协调发展，努力形成四位一体的协同育人机制，真正让全社会都担负起青少年成长成才的责任。

当然，家庭、学校、政府、社会在青少年成长成才中的作用不同。其中，学校担负主体责任。学校要立足中国实际，遵循教育规律，认真履行应有的教育职责，切实做到对学生负责、对学生家庭负责、对社会负责。家庭是人生的第一所学校，家长是孩子的第一任老师，既要给孩子讲好“人生第一课”，帮助扣好人生第一粒扣子，又要尊重学校教育安排，支持教师创造发挥，配合学校搞好孩子的教育，同时还要注重家庭文化、家教、家风，给孩子以示范引导。学校要加强与家长的沟通，帮助家长学习掌握科学的家庭教育理念、知识和方法，树立正确的育人观、成才观，自觉承担起在家庭教育中的主体责任，使学校教育与家庭教育同频共振。教育、妇联等部门要统筹协调社会资源支持服务家庭教育，要突出道德教育和健康教育，牢固树立德智体美劳全面发展的科学家庭教育理念，积极推进家庭教育立法，推动家庭教育纳入政府公共服务。各级党委和政府要为学校办学安全托底，解决学校后顾之忧，维护老师和学校应有的尊严，保护学生的生命安全。

---

① 《习近平在全国教育大会上强调　坚持中国特色社会主义教育发展道路　培养德智体美劳全面发展的社会主义建设者和接班人》，《人民日报》2018 年 9 月 11 日。

（三）坚定文化自信与教育自信的统一

要办好中国特色社会主义教育，实现中华民族伟大复兴的中国梦，就需要我们扎根中国大地，坚定文化自信，用共同理想信念凝聚意志，用中国精神激发中国力量。

坚定文化自信，首先要用中华民族一切优秀文明成果育人。中华文化源远流长、博大精深，蕴含着丰富的哲学思想、人文精神、道德理念，蕴含着实现中国梦的中国精神，这是中国土壤的营养内核。习近平总书记指出，对历史文化特别是先人传承下来的价值理念和道德规范，要坚持古为今用、推陈出新，有鉴别地加以对待，有扬弃地予以继承，努力用中华民族创造的一切精神财富来以文化人、以文育人。[①] 其次要用革命文化熏陶人。革命精神是革命文化的灵魂。办好中国特色社会主义教育就是要用革命精神教育学生、感染学生，使红色基因渗进血液、浸入心扉。最后要用社会主义先进文化引导人。关键在于培育和践行社会主义核心价值观，既要从中华优秀传统文化中汲取思想精华和道德精髓，又要从红色革命文化中获得智慧滋养和精神砥砺。我们只有把价值导向和知识传授结合起来，把文化产品创造与文化环境营造结合起来，把网下网上的文化引导结合起来，才能发挥社会主义先进文化的引导功能，让学生在良好的环境里健康成长，实现“入芝兰之室，久而自芳”的教育效果。文化自信与教育自信是辩证统一的。扎根中国大地，坚定文化自信，实现文化育人，才能形成中国特色的教育思想，才能培养出党和国家需要的优秀人才，才能为实现中华民族伟大复兴的中国梦长久接力。同时，文化自信又

① 《习近平在中共中央政治局第十三次集体学习时强调　把培育和弘扬社会主义核心价值观作为凝魂聚气强基固本的基础工程》，《人民日报》2014年2月26日。

将进一步坚定我国学校的办学自信。我们要把“四个自信”转化为扎根中国大地办好中国特色社会主义教育的自觉自信。

（四）坚持放眼世界与中国特色的统一

习近平总书记在北京大学师生座谈会上指出：“办好中国的世界一流大学，必须有中国特色。没有特色，跟在他人后面亦步亦趋，依样画葫芦，是不可能办成功的。这里可以套用一句话，越是民族的越是世界的。”“我们要认真吸收世界上先进的办学治学经验，更要遵循教育规律，扎根中国大地办大学。”[①] 习近平总书记虽然讲的是如何办好中国特色的高等教育，但其原理对所有教育都具有指导意义。扎根中国大地办教育并不是故步自封，而是要将中国特色与放眼世界两者有机结合起来。

一方面，扎根中国大地办教育要始终坚持中国特色。所谓“中国特色”就是要坚持以人民为中心发展教育的价值追求，立足中国国情与教育实际，坚守教育实践的民族性，最终满足人民群众对教育的期待。中国特色主要体现在办学理念、发展路径与体制机制等方面，贯穿于人才培养、科学研究、社会服务、文化传承与创新、国际交流与合作等方面。我国学校要坚决捍卫办学主权和自主性，要扎根中国大地，解决中国问题，要把“中国特色”注入学校建设之“魂”，彰显中国学校的民族特性、学术自觉和教育自信，绝不能成为西方发达国家或境外某些势力的附庸。

另一方面，扎根中国大地办教育又要放眼世界，坚持中外融通。

① 习近平：《青年要自觉践行社会主义核心价值观——在北京大学师生座谈会上的讲话》，《人民日报》2014 年 5 月 5 日。

扎根中国大地办教育绝不是拒绝“国际化”，而是需要在“国际化”进程中始终坚持中国本位，既能“放得开”又要“守得住”。我们既要学习借鉴世界上的先进教育模式，积极吸收先进教育的实践经验，认真吸取他人的教训与不足，又要瞄准现代教育发展趋势，积极参与国际教育交流与合作，吸纳一切优秀国际教育成果，并结合我国实际进行本土化的改造，将其转化为提升我国办学水平的着力点和生长点。总之，我们要将两者辩证统一起来，引导学生正确认识中国特色和国际比较，全面客观认识当代中国、看待外部世界。我们只有扎根中国大地，才能站稳脚跟，才能有自己的特色和优势、品格和特质，才能在国际交往中相互借鉴、相互砥砺、相互促进，进而建构具有中国特色的教育实践方案与理论成果，为世界教育和人类文明作出我们独特的贡献。

三、扎根中国大地应办成什么样的教育

扎根中国大地办好中国特色社会主义教育，其最终的价值和目标体现在教育的功能、内涵、精神与人才培养质量上，这也是办好中国特色社会主义教育的质的规定性。

（一）体现中国特色社会主义的办学特性

我们的学校是党领导下的学校，是中国特色社会主义学校。在新的历史条件下，中国特色社会主义教育将高举习近平新时代中国特色社会主义思想伟大旗帜，坚持社会主义办学方向，始终坚持党对学校的全面领导。在领导体制上，要坚持和完善党对学校的领导体制，让

学校成为坚持党的领导的坚强阵地，着眼为谁办学、办什么样的学校、怎样办学的根本问题，站在为党的事业后继有人的高度，努力培养中国特色社会主义合格建设者和可靠接班人。在指导思想上，坚持马克思主义指导地位。习近平新时代中国特色社会主义思想就是当代中国的马克思主义。在新时代新征程中，教育发展到了新阶段，学校要将习近平新时代中国特色社会主义思想进教材进课堂进头脑。在办学方针上，学校要同国家发展的现实目标和未来方向紧密联系，始终坚持“为人民服务，为中国共产党治国理政服务，为巩固和发展中国特色社会主义制度服务，为改革开放和社会主义现代化建设服务”，[①]把满足国家战略需要、引领国际学术前沿和解决地方经济社会现实问题统一起来。在人才培养上，始终坚持立德树人的根本任务，教育引导青年学生坚定理想信念，厚植爱国主义情怀，加强品德修养，增长知识见识，培养奋斗精神，增强综合素质，弘扬劳动精神，培育和践行社会主义核心价值观，通过树立共产主义远大理想和中国特色社会主义共同理想，增强学生的“四个自信”，教育引导学生热爱和拥护中国共产党，听党话、跟党走，自觉抵御和防范错误思潮对校园的渗透影响，扎根人民、奉献国家，切实肩负起中华民族伟大复兴的时代重任。

（二）实现教育现代化的质量要求

教育现代化是支撑、推动和引领中国现代化发展的重要基础和引擎，更是实现中华民族伟大复兴的前提条件和力量之源。扎根中国大

---

① 《习近平在全国高校思想政治工作会议上强调　把思想政治工作贯穿教育教学全过程　开创我国高等教育事业发展新局面》，《人民日报》2016 年 12 月 9 日。

地办教育，就是要将各级各类学校办成现代化意义上的学校，既要体现中国特色社会主义的特性，又要具有世界水平的办学质量，从而为实现中华民族伟大复兴的中国梦固本强基。当前，我国教育的总体规模已位居世界第一，但我们的办学质量还与世界水平有一定差距。虽然当前对于教育的世界水平没有公认的标准，但其评价的基本要素是相同的，就是在深厚民族根基的前提下，在教育思想、学科建设、人才培养、师资队伍、科研成果、社会服务、文化影响、国际交流合作和治理体系等方面，对本国乃至世界的社会经济与文化发展产生重大影响。中国特色社会主义教育的现代化，既是教育思想、理念及价值观的现代化，更是人的现代化，要深深扎根于中国国情、中国文明、中国体制、中国大地，立足时代、面向世界、面向未来，始终坚持和践行以人为本、促进人的全面发展与社会可持续发展的核心理念，坚持走多样化、可持续的发展道路，鼓励创新与交流合作。当前，中国特色社会主义教育既有成功之处，也有不足与短板。我们的“教”可圈可点，我们的“育”还需要健全完善，这就需要我们牢牢扎根中国大地，用自己的智慧与力量走出一条具有中国特色的教育发展之路。与此同时，我们要通过教育现代化的实现，用中国教育的实践探索和改革智慧为世界教育的发展理念及模式贡献中国智慧与中国方案。

（三）彰显中国特色的学校文化与精神

学校文化是一所学校在长期发展过程中的历史积淀，是师生长期创造形成的产物。没有文化底蕴的学校，不是真正意义上的学校；一所缺乏文化的学校，永远不可能达到世界水平。而学校精神又是学校文化的精髓，是学校发展生生不息的力量源泉。有学者认为，建设中国特色社会主义教育应将塑造学校精神上升为一种深刻的文化自觉、崇高的历史使命，这对于凝练和升华中国教育精神，构建具有中国特色、中国风格、中国气派的教育话语体系具有十分重要的意义。这一观点是有一定道理的。

中国特色社会主义学校的建设，可以分为两个不同维度。一个是学校的硬件建设。这无论对哪个国家而言，只要有一定的经费和人力投入，都能在短时期内完成，也是能够沿袭他人的成功经验而实现的。另一个是学校的文化软实力建设。其核心就是学校的文化和精神，也是一所学校发展的“魂魄”与特性，而这恰恰需要学校立足本校实际、办学传统和历史的长期积淀才能形成，也是无法照抄照搬的。中国特色社会主义学校将牢牢扎根中国大地，在传承历史文化传统和学校发展实际的基础上，个性化地形成自己的文化与精神，向世界充分彰显中国特色、中国精神与中国力量。

总之，教育发展要根据本国的历史传统、现实国情和发展方向进行抉择。中国的教育要在认真吸收世界先进办学经验的基础上，立足中国国情、继承中国传统、面向中国问题、服务中国发展，坚定不移地走好中国特色社会主义教育发展之路。

第六章

坚持以人民为中心发展教育

我们的人民热爱生活，期盼有更好的教育、更稳定的工作、更满意的收入、更可靠的社会保障、更高水平的医疗卫生服务、更舒适的居住条件、更优美的环境，期盼孩子们能成长得更好、工作得更好、生活得更好。人民对美好生活的向往，就是我们的奋斗目标。

——习近平总书记在十八届中共中央政治局常委同中外记者见面时的讲话

以人民为中心发展教育，是党的十八大以来习近平总书记关于教育的重要论述中的重要内容。坚持以人民为中心发展教育，办好人民满意的教育，既是党“以人民为中心的发展思想”的重要体现，也是党执政为民的内在要求，是我国教育改革发展的基本遵循和指南针。

一、坚持以人民为中心发展教育是党执政为民的内在要求

民惟邦本，本固邦宁。在十八届中共中央政治局常委与中外记者见面会上，习近平总书记指出，“人民对美好生活的向往，就是我们的奋斗目标”，[①] 体现出对人民群众的深厚情感。党的十八届五中全会审议通过的《中共中央关于制定国民经济和社会发展第十三个五年规划的建议》，创造性地提出了“以人民为中心的发展思想”的科学命题。继而，习近平总书记又在网络安全和信息化工作座谈会、哲学社会科学工作座谈会、庆祝中国共产党成立 95 周年大会、二十国集团工商峰会等国内外重要场合多次详细阐述了“以人民为中心”的思想。习近平总书记在党的十九大报告中把坚持以人民为中心作为新时

① 《习近平在十八届中共中央政治局常委同中外记者见面时强调　人民对美好生活的向往就是我们的奋斗目标》，《人民日报》2012 年 11 月 16 日。

代坚持和发展中国特色社会主义的重要内容，全球许多媒体的“大数据分析”显示，3万多字的报告提到“人民”的次数达203次。他指出，“中国共产党人的初心和使命，就是为中国人民谋幸福，为中华民族谋复兴”，“人民是历史的创造者，是决定党和国家前途命运的根本力量。必须坚持人民主体地位，坚持立党为公、执政为民，践行全心全意为人民服务的根本宗旨，把党的群众路线贯彻到治国理政全部活动之中，把人民对美好生活的向往作为奋斗目标，依靠人民创造历史伟业”。[①] 坚持以人民为中心，是中国共产党的初心和使命，也是党的一贯追求，更是建设中国特色社会主义事业的根本宗旨。

发展为了人民、发展依靠人民、发展成果由人民共享，归根到底是要让人民群众有更多获得感。当前，我国社会主要矛盾已经转化为人民日益增长的美好生活需要和不平衡不充分的发展之间的矛盾。好的教育是人民美好生活需要的首要内容，也是提高人民获得感的必由之路。

二、坚持以人民为中心发展教育要满足人民对美好生活的需要

2012年11月15日，十八届中央政治局常委与中外记者见面时，习近平总书记指出，“我们的人民热爱生活，期盼有更好的教育、更稳定的工作、更满意的收入、更可靠的社会保障、更高水平的医疗卫生服务、更舒适的居住条件、更优美的环境，期盼孩子们能成长得更好、工作得更好、生活得更好。人民对美好生活的向往，就是

① 习近平：《决胜全面建成小康社会 夺取新时代中国特色社会主义伟大胜利——在中国共产党第十九次全国代表大会上的报告》，《人民日报》2017年10月28日。

我们的奋斗目标。”[1] 美好生活的维度是多重的，包括教育、就业、收入、社会保障、医疗卫生、居住条件、生活环境等，但其中教育是前置性的，好的教育是稳定的就业、满意的收入、可靠的社会保障等的前提和基础。就业是最大的民生，但能否顺利就业、就业质量高低在很大程度上取决于教育。同样，接受好的教育也是获得高收入以及满意的社会保障、居住条件、医疗卫生服务等的重要影响因素。

改革开放以来，尤其是党的十八大以来，我国教育事业在满足人民对美好生活的需要方面取得了重要进展。学前教育实现跨越式发展，九年义务教育普及成果进一步巩固，高中阶段教育普及水平不断提升，高等教育国际竞争力明显提升，现代职业教育体系初步建立，教育信息化建设取得突破性进展。2017 年，我国学前教育毛入园率达到 79.6%，九年义务教育巩固率达到 93.8%，高中阶段毛入学率达到 88.3%，高等教育毛入学率达到 45.7%，[2] 教育总体发展水平跃居世界中上行列。我国贫困地区义务教育薄弱学校基本办学条件取得巨大改善，“全面改薄”工程自 2013 年 12 月启动实施以来，规划新建、改扩建校舍约 2.2 亿平方米，购置教育仪器设备约 1066 亿元，惠及全国 2600 多个县的近 22 万所义务教育学校。覆盖学前教育至研究生教育的学生资助政策体系已经建立，5 年来累计资助学生 4.25 亿人次。2016 年春季学期开始，“教育经费可携带”，全国 1400 万名进城务工人员随迁子女全部纳入“两免一补”政策范围；2017 年排查出的 1.88 万名辍学农村留守儿童，基本都已复学。营养改善计划在国家扶贫开

① 《习近平在十八届中共中央政治局常委同中外记者见面时强调　人民对美好生活的向往就是我们的奋斗目标》，《人民日报》2012 年 11 月 16 日。

② 《2017 年全国教育事业发展统计公报》，《中国教育报》2018 年 7 月 21 日。

发县全面实施，中央财政累计安排资金1591亿元，从最贫困、最偏远的地区做起，实施营养改善计划，受益学生3700多万人。中国疾病预防控制中心的跟踪监测显示，项目地区学生的营养健康状况逐步改善，身体素质明显提高。国家从2015年起将新增招生计划主体全部投向中西部地区和人口大省，3年来支援中西部地区招生协作计划共安排90余万人。农村和贫困地区专项招生计划，每年的招生名额也从1万人增至9.6万人，累计录取学生37万人，形成了保障农村和贫困地区学生上重点高校的长效机制。[①] 这一系列举措成效卓著，极大地提高了教育质量、促进了教育公平，很好地回应了人民对美好生活的需要。

坚持以人民为中心发展教育，要以人民满意为尺度。习近平总书记主持召开十八届中央全面深化改革领导小组第十次会议时强调，把改革方案的含金量充分展示出来，让人民群众有更多获得感。[②] 党的十九大报告中，习近平总书记将“办好人民满意的教育”作为教育事业发展的方向和目标。“人民是阅卷人”，坚持以人民为中心发展教育，要以人民满意为尺度。

毫无疑问，近年来我国教育改革发展取得了巨大进步。但是依然有一些教育问题困扰着广大家长、老师和学生，比如学前教育供给不足、学生学业负担重、中小学生近视率高等。对此，我们应该理性地认识，满意是一种主观感受，人民满意的标准是多元的，也是动态发展的。一方面，不同的群体对教育的期待有所不同。有研究表明，经

① 《人民满意，期待教育带来更多幸福感》，《人民日报》2018年9月9日。

② 《习近平主持召开中央全面深化改革领导小组第十次会议强调　科学统筹突出重点对准焦距　让人民对改革有更多获得感》，《人民日报》2015年2月28日。

济社会发展水平越高、教育资源越富集的地区，公众对教育的满意度越低。另一方面，不同的时代，人民对教育满意的标准也同样在发生变化。过去，在各级教育普及率低、受教育机会稀缺的时代，有学上就是令人满意的。如今，在各级教育普及率迅速提高的时代，人们还希望上好学。尤其需要关注的是，满意往往是在比较中产生的一种主观感受，令人满意的不仅是获得了比过去更好的教育，往往是比周围其他人获得了更好的教育。

面对人民多元化、个性化、动态化的教育需求，一方面要解决教育发展中的不平衡和不充分问题，不断提高教育质量、促进教育公平。更重要的是着力破解其中的体制机制障碍，让每个孩子实现类型上的差异化发展而不是高低层级上的差异化发展。举例来说，如今，职业教育发展困难重重，其中的重要原因在于接受职业教育的学生在就业前景、收入水平、社会地位等方面都低于接受普通高等教育的学生。他们在劳动力市场上受到歧视，职业生涯发展更容易遇到天花板。而且，一旦进入职业教育体系，再接受学术性教育就面临障碍。职业教育和普通教育本应是类型上的区别，但实质上已经演变成高低层级上的差异。这样，接受职业教育的家庭就不会满意。这种现象的根本原因在于，学术性资格与职业性资格无法互认和衔接，职业教育与普通教育之间存在着难以逾越的鸿沟，人才成长的立交桥难以建立。

人民满意是发展教育的根本尺度。办好人民满意的教育，并不仅仅是满足人们短期的教育需求，而是要通过体制机制创新、提高教育质量、促进教育公平来引导和满足根本性的教育需求。

三、坚持以人民为中心发展教育要办更加公平更有质量的教育

2013年9月，习近平主席在联合国“教育第一”全球倡议行动一周年纪念活动视频讲话中向世人宣告，努力让13亿人民享有更好更公平的教育。[①] 在我国社会主要矛盾转化的历史时期，人民对公平而有质量的教育的向往更加迫切。以人民为中心发展教育，要不断深化体制机制改革，不断提高教育质量，不断推进教育公平。

坚持以人民为中心发展教育，要不断深入推进教育公平尤其是基础教育公平。习近平总书记在北京市八一学校考察时指出，教育公平是社会公平的重要基础，要不断促进教育发展成果更多更公平惠及全体人民，以教育公平促进社会公平正义。要加强对基础教育的支持力度，办好学前教育，均衡发展九年义务教育，基本普及高中阶段教育。[②]

教育公平是社会公平的基础，基础教育公平又是教育公平的基础。要以师资均衡配置为重点，优先保障县域内义务教育均衡发展，在此基础上逐步实现市域甚至省域义务教育均衡发展。要关注农村地区尤其是贫困地区。当前，“三区三州”（西藏、四省藏区、南疆四地州、四川凉山州、云南怒江州、甘肃临夏州）已经成为我国脱贫攻坚的主战场，也是教育事业发展最薄弱的地区，要通过加强教师队伍建设、改

① 《习近平主席在联合国“教育第一”全球倡议行动一周年纪念活动上发表视频贺词》，《人民日报》2013年9月27日。

② 《习近平在北京市八一学校考察时强调　全面贯彻落实党的教育方针　努力把我国基础教育越办越好》，《人民日报》2016年9月10日。

善学校办学条件、贫困家庭学生资助、控辍保学、招生倾斜等一揽子举措促进“三区三州”教育发展。

坚持以人民为中心发展教育，要不断提高教育质量尤其是教师队伍质量。教师质量是决定教育质量的第一要素。随着《中共中央 国务院关于全面深化新时代教师队伍建设改革的意见》的颁布实施，我国教育事业发展的战略重心已经由重视硬件投入转向重视教师发展。习近平总书记在全国教育大会上指出，随着办学条件不断改善，教育投入要更多向教师倾斜，不断提高教师待遇，让广大教师安心从教、热心从教。同时强调，全党全社会要弘扬尊师重教的社会风尚，努力提高教师政治地位、社会地位、职业地位，让广大教师享有应有的社会声望，在教书育人岗位上为党和人民事业作出新的更大的贡献。[①] 要不断提高教师就业质量，在工资收入、就业稳定性、发展前景、工作环境等方面全面发力，吸引优秀人才进入教师队伍。同时，通过制度创新保障教师专心从教、激发教师队伍活力。

坚持以人民为中心发展教育，要全面加强党的领导，深化教育体制机制改革。我国教育改革发展进入深水区，涉及多领域、多部门的复杂改革不断涌现，政府部门之间的跨部门合作日益成为常态。但由于各个部门之间的部门规章有各自的逻辑和规则，甚至有时存在冲突，跨部门合作并不顺畅。党的领导具有高度的权威，而且这种权威已经成为我国公共部门和全社会的共识。在教育改革发展任务复杂艰巨、传统跨部门合作面临困境的背景下，必须依靠党的领导。习近平

① 《习近平在全国教育大会上强调 坚持中国特色社会主义教育发展道路 培养德智体美劳全面发展的社会主义建设者和接班人》，《人民日报》2018 年 9 月 11 日。

总书记在全国教育大会上的重要讲话中指出，坚持把优先发展教育事业作为推动党和国家各项事业发展的重要先手棋。[①]各级党委要把教育改革发展纳入议事日程，党政主要负责同志要熟悉教育、关心教育、研究教育。这实际上进一步明确了教育优先发展的战略地位，以党的最高权威总揽全局、协调各方。在中国，只有党才能发挥这样的核心领导作用。社会各部门要充分认识到教育作为民族振兴、社会进步的重要基石的战略地位，以大局为重，勇于突破部门规章，在党的领导下有效开展跨部门合作，形成合力，从根本上破解制约教育改革发展的体制机制障碍。

四、坚持以人民为中心发展教育要促进人的全面发展

习近平总书记在全国教育大会上强调，培养德智体美劳全面发展的社会主义建设者和接班人。同时指出，新时代新形势，改革开放和社会主义现代化建设、促进人的全面发展和社会全面进步对教育和学习提出了新的更高的要求。[②]今天的教育培养的是未来社会的建设者和接班人，以人民为中心的教育必须致力于培养德智体美劳全面发展的人。

近年来，我们对人的全面发展的认识经历了发展变化。2015年修订的《中华人民共和国教育法》第五条规定："教育必须为社会主

① 《习近平在全国教育大会上强调　坚持中国特色社会主义教育发展道路　培养德智体美劳全面发展的社会主义建设者和接班人》，《人民日报》2018年9月11日。

② 《习近平在全国教育大会上强调　坚持中国特色社会主义教育发展道路　培养德智体美劳全面发展的社会主义建设者和接班人》，《人民日报》2018年9月11日。

义现代化建设服务、为人民服务，必须与生产劳动和社会实践相结合，培养德、智、体、美等方面全面发展的社会主义建设者和接班人。”在2016年全国高校思想政治工作会议上，习近平总书记指出，我国高等教育肩负着培养德智体美全面发展的社会主义事业建设者和接班人的重大任务。①在党的十九大报告中，习近平总书记重申，培养德智体美全面发展的社会主义建设者和接班人。②在全国教育大会上，习近平总书记将长期以来坚持的“德智体美全面发展”发展为“德智体美劳全面发展”，并提出要努力构建德智体美劳全面培养的教育体系，特别强调要在学生中弘扬劳动精神，教育引导学生崇尚劳动、尊重劳动，懂得劳动最光荣、劳动最崇高、劳动最伟大、劳动最美丽的道理，长大后能够辛勤劳动、诚实劳动、创造性劳动。③“德智体美劳全面发展”成为当前人的全面发展的权威表述，是新时代新形势下与时俱进的衡量标准。

人的全面发展不仅要立足当下，更要着眼未来。当今世界的技术变革日新月异，人工智能、大数据、云计算等技术革命深刻地影响着劳动力市场，一些重复性高、烦琐枯燥、大量使用人工的不经济的工作将被智能机器人取代。技术变革将带来新一轮的就业创造，同时也将带来新一轮的就业破坏。这种破坏是熊彼特所说的“创造性破坏”，即创新淘汰了旧的技术、工作岗位和生产体系，并建立起新的生产体

---

① 《习近平在全国高校思想政治工作会议上强调　把思想政治工作贯穿教育教学全过程　开创我国高等教育事业发展新局面》，《人民日报》2016年12月9日。

② 习近平：《决胜全面建成小康社会　夺取新时代中国特色社会主义伟大胜利——在中国共产党第十九次全国代表大会上的报告》，《人民日报》2017年10月28日。

③ 《习近平在全国教育大会上强调　坚持中国特色社会主义教育发展道路　培养德智体美劳全面发展的社会主义建设者和接班人》，《人民日报》2018年9月11日。

系。未来，新的技术将以更加迅猛的态势对劳动力市场带来更加深刻的影响。因此，仅仅依靠知识学习和智力发展将无法适应劳动力市场的持续变革，而关键在于全面发展和终身学习。

第七章

坚持深化教育改革创新

要深化教育改革，推进素质教育，创新教育方法，提高人才培养质量，努力形成有利于创新人才成长的育人环境。

——习近平总书记在主持十八届中央政治局第九次集体学习时的讲话

教育是民族振兴和社会进步的基石，事关国家未来。建设教育强国是中华民族伟大复兴的基础工程。贯彻落实党的十九大精神，积极回应人民群众在新时代对更好教育的强烈期盼，办好人民满意的教育，关键在于全面深化教育领域综合改革。党的十八大以来，立足我国经济社会发展实际，面对教育事业发展新形势新任务，习近平总书记围绕教育事业发表了系列重要讲话，提出了推动我国教育事业改革发展、深化教育改革的新理念新思想新战略，成为全面深化教育领域综合改革的根本遵循，是习近平总书记关于教育的重要论述的重要组成部分。

一、回应人民对更好教育的期盼

经过改革开放以来的建设，我国教育事业迈上了新台阶，教育发展总体水平明显提升，服务经济社会发展能力显著提高，国际影响力稳步增强，人力资源强国建设加快推进，为提高全民族素质和全面建成小康社会作出了重要贡献。这是教育战线坚持改革开放取得的伟大成就，充分证明了改革开放是推进教育事业蓬勃发展的强大动力。

在充分肯定教育事业发展成就的同时，也要清醒地认识到我国教育事业面临一系列新问题新挑战。2014 年教师节前夕，习近平总书记在与北京师范大学师生代表座谈时指出："我国人口多、国土广、地区差异大，有2.6亿学生和1400万教师，搞好教育事业任务艰巨。党和政府高度重视教育，2012年以来我国财政性教育经费支出占当年国内生产总值比例达到4%，这是很大的一件事。我国经济总量虽然已经是世界第二，但我国还是世界上最大的发展中国家，还处在社会主义初级阶段，各种教育资源历史积累不足，地区之间教育发展不平衡，教育总体条件还不是很理想，教师特别是基层教师收入总体水平不高，办学条件标准不高，教育管理水平亟待提高。"① 解决这些新问题、应对这些新挑战，迫切需要全面深化教育领域综合改革，推进教育治理体系和治理能力现代化。

（一）全面深化教育领域综合改革是破除各种体制机制障碍、促进教育公平、提高人才培养质量的根本动力

在新的形势下，全面深化教育领域综合改革，必须始终坚持教育优先发展战略。在党的十九大报告中，习近平总书记指出："建设教育强国是中华民族伟大复兴的基础工程，必须把教育事业放在优先位置，深化教育改革，加快教育现代化，办好人民满意的教育。"② 这一重要论述，指明了我国教育事业改革发展的总方向，就是要从上规模、讲数量向强素质、提质量、促公平转变，使我国的教育越办越好、越办越强，进一步满足人民群众在新时代对更好教育的强烈期

---

① 习近平：《做党和人民满意的好老师——同北京师范大学师生代表座谈时的讲话》，《人民日报》2014年9月10日。

② 习近平：《决胜全面建成小康社会　夺取新时代中国特色社会主义伟大胜利——在中国共产党第十九次全国代表大会上的报告》，《人民日报》2017年10月28日。

盼。这就要求我们采用系统思维和系统方法，全面把握教育领域的各种关系，统筹处理各种矛盾，科学谋划综合改革。

（二）全面深化教育领域综合改革，需要坚持创新、协调、绿色、开放、共享的新发展理念

这五大理念是“十三五”乃至更长时期我国发展思路、发展方向、发展着力点的集中体现，也是改革开放以来我国发展经验的集中体现，反映出我们党对我国发展规律的新认识。2017年1月，国务院印发《国家教育事业发展“十三五”规划》，指出“以创新、协调、绿色、开放、共享的发展理念统领教育改革发展”。[①] 要牢固树立新发展理念，践行以人民为中心的发展思想，真正办好人民满意的教育。坚持以新发展理念引领教育领域综合改革，要求准确把握新发展理念的科学内涵，深刻认识到创新是引领发展的第一动力，协调是持续健康协调发展的内在要求，绿色是永续发展的必要条件和人民对美好生活追求的重要体现，开放是国家繁荣发展的必由之路，共享是中国特色社会主义的本质要求。要从整体上、从内在联系中把握新发展理念，增强贯彻落实的全面性、系统性，在教育改革发展的理论和实践上有新突破，不断开拓教育领域综合改革的新境界。

（三）全面深化教育领域综合改革，需要坚持教育事业的文化自信

2016年9月9日，习近平总书记在考察北京市八一学校时明确

① 《国务院印发〈国家教育事业发展“十三五”规划〉》，《人民日报》2017年1月20日。

指出："我们的教育改革要坚持文化自信，好的经验要坚持，不足的要补齐。"① 全面深化教育领域综合改革一定要坚持中国特色社会主义道路，扎根中国大地，办人民满意的教育。在教育改革中要继承和发扬中华优秀传统文化教育的丰厚遗产，立足本土，审慎学习国外先进教育思想，不断总结革命文化、社会主义先进文化及其教育思想，让教育改革更加智慧地解决各级各类教育所面临的新问题新挑战，走中国特色社会主义教育改革之路。

二、解决人民关心的教育热点问题

中国共产党人的初心和使命，就是为中国人民谋幸福，为中华民族谋复兴。当前，教育改革发展面临一系列重大问题，其中人民群众关心的热点问题主要是促进教育公平和提升教育质量。面对人民群众对"更好的教育"和"孩子们能成长得更好"的强烈期盼，习近平总书记在党的十九大报告中指出："要全面贯彻党的教育方针，落实立德树人根本任务，发展素质教育，推进教育公平，培养德智体美全面发展的社会主义建设者和接班人……努力让每个孩子都能享有公平而有质量的教育。"② 全面深化教育领域综合改革，重点就是要解决人民群众关心的这些教育热点问题。

① 《习近平在北京市八一学校考察时强调　全面贯彻落实党的教育方针　努力把我国基础教育越办越好》，《人民日报》2016 年 9 月 10 日。

② 习近平：《决胜全面建成小康社会　夺取新时代中国特色社会主义伟大胜利——在中国共产党第十九次全国代表大会上的报告》，《人民日报》2017 年 10 月 28 日。

（一）要促进教育公平，让教育改革发展成果更好地惠及最广大人民群众

一要强化教育扶贫意识。教育短板在西部地区、农村地区、老少边穷岛地区，对这些地区尤其要加大教育扶持力度。少年强则中国强，中西部强则中国强。2015 年 9 月 9 日，习近平总书记在给“国培计划（2014）”北京师范大学贵州研修班参训教师的回信中指出：“到 2020 年全面建成小康社会，最艰巨的任务在贫困地区，我们必须补上这个短板。扶贫必扶智。让贫困地区的孩子们接受良好教育，是扶贫开发的重要任务，也是阻断贫困代际传递的重要途径。”①

二要强化对农村地区教育的支持力度。2014 年全国职业教育工作会议召开期间，习近平总书记就加快职业教育发展作出重要指示，要求加大对农村地区、民族地区、贫困地区职业教育支持力度，努力让每个人都有人生出彩的机会。②2015 年 4 月 1 日，习近平总书记主持召开中央全面深化改革领导小组第十一次会议。会议指出，发展乡村教育，让每个乡村孩子都能接受公平、有质量的教育，阻止贫困现象代际传递。③

三要强化对民族地区教育的投入力度。2014 年 9 月 28 日，习近平总书记出席中央民族工作会议暨国务院第六次全国民族团结进步表彰大会并发表重要讲话。会议指出，教育投入要向民族地区、边疆地区

---

① 《习近平总书记给“国培计划（2014）”北师大贵州研修班参训教师的回信》，《人民日报》2015 年 9 月 10 日。

② 《习近平就加快发展职业教育作出重要指示　更好支持和帮助职业教育发展　为实现“两个一百年”奋斗目标提供人才保障》，《人民日报》2014 年 6 月 24 日。

③ 《习近平主持召开中央全面深化改革领导小组第十一次会议强调　深刻把握全面深化改革关键地位　自觉运用改革精神谋划推动工作》，《人民日报》2015 年 4 月 2 日。

倾斜，加快民族地区义务教育学校标准化和寄宿制学校建设，实行免费中等职业教育，办好民族地区高等教育，搞好双语教育。[①] 针对教育公平面临的这些难点和重点任务，党和政府制定了一系列政策，采取了一系列措施，取得了明显成效。

（二）要把提高教育质量作为核心工作

针对教育存在的突出问题，2013 年 9 月 30 日，习近平总书记在主持十八届中央政治局第九次集体学习时强调指出，要深化教育改革，推进素质教育，创新教育方法，提高人才培养质量，努力形成有利于创新人才成长的育人环境。[②]

针对高等教育存在的突出问题，要通过体制创新提升质量。2014 年 5 月，习近平总书记在考察北京大学时指出，党中央作出了建设世界一流大学的战略决策，我们要朝着这个目标坚定不移前进。办好中国的世界一流大学，必须有中国特色。“世界上不会有第二个哈佛、牛津、斯坦福、麻省理工、剑桥，但会有第一个北大、清华、浙大、复旦、南大等中国著名学府。我们要认真吸收世界上先进的办学治学经验，更要遵循教育规律，扎根中国大地办大学。”[③] 正是在这一号召下，建设“双一流”大学成为当前我国高等教育改革的最强音。2015 年 10 月，国务院印发《统筹推进世界一流大学和一流学科建设总体

---

① 《中央民族工作会议暨国务院第六次全国民族团结进步表彰大会在北京举行》，《人民日报》2014 年 9 月 30 日。

② 《习近平在中央政治局第九次集体学习时强调 敏锐把握世界科技创新发展趋势 切实把创新驱动发展战略实施好》，《人民日报》2013 年 10 月 2 日。

③ 习近平：《青年要自觉践行社会主义核心价值观——在北京大学师生座谈会上的讲话》，《人民日报》2014 年 5 月 5 日。

方案》，提出加快建成一批世界一流大学和一流学科。启动实施的“统筹推进两个一流”战略，是中国大学冲刺国际前列、打造顶尖学府的“冲锋号”。建设“双一流”，就是要推动一批高水平大学和学科进入世界一流行列或前列，培养一流人才，产出一流成果。

深化考试招生制度改革和教育教学改革。恢复高考40多年来，我国考试招生制度不断改进完善，基本形成了相对完整的考试招生体系，为学生成长、国家选才、社会公平作出了历史性贡献。当然，优质教育资源缺乏、布局不平衡、入学机会的地区差距等矛盾日渐突出。习近平总书记强调，考试招生制度是国家基本教育制度。总体上看，我国考试招生制度符合国情，同时也存在一些问题。必须通过深化改革，促进教育公平、提高人才选拔水平，适应培养德智体美全面发展的社会主义建设者和接班人的要求。① 考试招生制度改革是提高教育质量和促进教育公平的关键环节。为了保障和促进教育公平，国家在优化高等教育资源布局的同时，抓住考试招生制度这一关键环节，不断探索和有效推进了高校考试招生制度改革，建立健全了教育重大政策的科学决策机制，更好地维护了高校招生的公平正义，让更多的人共享高等教育改革发展成果。

为扎实推进教育改革，使高等教育更加适应国家和区域经济社会发展需要，高等学校正在深入推进高校创新创业教育改革，修订专业人才培养方案，将创新精神、创业意识和创新创业能力作为评价人才培养质量的重要指标。通过深化改革，努力促进协同育人机制更加优化，信息技术与教育教学深度融合，教师培训体系实现制度化、专业

① 《习近平主持召开中央全面深化改革领导小组第四次会议强调　共同为改革想招一起为改革发力　群策群力把各项改革工作抓到位》，《人民日报》2014年8月19日。

化、网络化，使基础学科拔尖学生培养取得新进展，高等教育发展更加协调。

三、全面推进教育事业发展

在新的形势下，全面推进教育事业发展，深化教育领域综合改革是关键。习近平总书记高度重视教育领域综合改革的顶层设计，坚持以立德树人为教育改革的根本任务，以新发展理念为教育改革的思想指南，以加强党的领导为教育改革的根本保障。通过这一系列改革，“加快建设学习型社会，大力提高国民素质。”①

（一）立德树人是全面深化教育领域综合改革的根本任务

立德树人、教书育人，是教育事业的神圣职责，也是教育改革的根本任务。要积极贯彻落实立德树人根本任务，培养德智体美劳全面发展的社会主义建设者和接班人，为经济社会发展提供强大人才保障和智力支持。国无德不兴，人无德不立。习近平总书记在山东考察时强调，只要中华民族一代接着一代追求美好崇高的道德境界，我们的民族就永远充满希望。②这里讲的“德”，既是指马克思主义道德观，也是指社会主义道德观，还包括我国人民在长期实践中培育和形成的传统美德。在当代中国，社会主义核心价值观就是这样一种德，既是

① 习近平：《决胜全面建成小康社会　夺取新时代中国特色社会主义伟大胜利——在中国共产党第十九次全国代表大会上的报告》，《人民日报》2017 年 10 月 28 日。

② 《习近平在山东考察时强调　认真贯彻党的十八届三中全会精神　汇聚起全面深化改革的强大正能量》，《人民日报》2013 年 11 月 29 日。

个人的德，也是一种大德，是国家的德、社会的德。我们要以体制改革确保立德树人根本任务的落实，既要发挥广大党员干部通过自己的模范行为感召和引领群众的作用，又要从娃娃抓起、从学校抓起，做到社会主义核心价值观进教材、进课堂、进头脑；既要发挥政策导向作用，使各方面政策都有利于崇高道德的培育，又要加强制度建设，建立健全各行各业规章制度，完善市民公约、乡规民约、学生守则等行为准则；既要利用各种时机和场合组织开展形式多样的教育活动，形成良好的生活情景和社会氛围，又要使各种社会管理部门承担起相应的责任，注重在日常管理中体现正确的价值导向。总之，通过教育引导、舆论宣传、文化熏陶、实践养成、制度保障等，不断加强立德树人、教书育人的工作力度，不断夯实中国特色社会主义的思想道德基础。

（二）以内涵式发展统领教育领域综合改革

坚持内涵式发展，要求把教育的结构性改革作为主线，主动适应经济社会发展和人民群众的需求；要求统筹利用好、布局好各类教育资源，突出保基本、补短板、促公平，推动区域、城乡协调发展；要求优化人才供给结构，加快高中阶段教育普及进程，推动高等教育分类发展，大力发展现代职业教育和继续教育，加快培养经济社会发展急需人才；要求创新教育供给方式，大力发展民办教育，拓展教育新形态，以教育信息化推动教育现代化，努力构建网络化、数字化、个性化、终身化的教育体系；要求改革教育治理体系，深化简政放权、放管结合、优化服务改革，落实学校办学自主权，加快现代学校制度建设；要求扩大社会参与，提高教育开放水平，整体提升教育服务经济社会发展的能力；等等。

（三）以依法治教引领和推动教育领域综合改革

党的十八大以来，以习近平同志为核心的党中央从坚持和发展中国特色社会主义出发，提出了全面建成小康社会、全面深化改革、全面依法治国、全面从严治党的“四个全面”战略布局。习近平总书记主持召开十八届中央全面深化改革领导小组第二次会议时强调，在整个改革过程中，都要高度重视运用法治思维和法治方式，发挥法治的引领和推动作用。[①] 在教育改革和发展中，运用法治思维和法治方式，引领和推动教育领域综合改革，就是要完善教育法律和制度规则体系，依法行政、依法治校。按照习近平总书记的要求，建立健全推动教育改革的法定程序，及时推出教育法律、法规和规范性文件的“立、改、废、释”，保证教育法律和制度规则体系服务于依法治教的要求。推进各级教育部门依法行政，推动放、管、服改革。依法治校，建设现代学校制度，落实和规范学校办学自主权，实行一校一章程。

（四）全面深化教育领域综合改革，推进教育治理体系和治理能力现代化

教育治理体系和治理能力是国家治理体系和治理能力的组成部分，体现着一个国家的教育制度和制度执行力。全面深化改革的总目标是完善和发展中国特色社会主义制度，推进国家治理体系和治理能力现代化。要实现教育现代化，就必然要求坚持问题导向、目标导

---

① 《习近平主持召开中央全面深化改革领导小组第二次会议强调　把抓落实作为推进改革工作的重点　真抓实干蹄疾步稳务求实效》，《人民日报》2014 年 3 月 1 日。

向，改革不适应现实要求的体制机制、法律法规，构建适应时代变化的教育治理体系，不断提高教育治理体系和治理能力现代化建设水平，解决当前阶段面临的教育热点、难点问题，满足人民群众日益增长的教育需求。要深化体制机制改革，统筹推进育人方式、办学模式、管理体制、保障机制改革，使各级各类教育更加符合教育规律，更加符合学生成长规律，从传统的教育管理转向教育治理，推进管办评分离，构建政府、学校、社会之间的新型关系，是全面深化教育领域综合改革、推进教育治理体系和治理能力现代化的重要内容。

（五）办好中国教育的关键在党

办好中国的事情，关键在党。办好中国的教育，关键同样在党。针对当前高等教育事业发展存在的问题与挑战，习近平总书记在全国高校思想政治工作会议上指出，我国有独特的历史、独特的文化、独特的国情，决定了我国必须走自己的高等教育发展道路，扎实办好中国特色社会主义高校。办好我国高等教育，必须坚持党的领导，牢牢掌握党对高校工作的领导权。高校要成为坚持党的领导的坚强阵地，必须坚持“四个服务”原则，即我国高等教育发展方向要同我国发展的现实目标和未来方向紧密联系在一起，为人民服务，为中国共产党治国理政服务，为巩固和发展中国特色社会主义制度服务，为改革开放和社会主义现代化建设服务①。这“四个服务”的重要论述，既是对我国高等教育发展的根本要求，也是我国整个教育事业改革发展的基本遵循，是党的教育方针在新时代的丰富和发展。

---

① 《习近平在全国高校思想政治工作会议上强调　把思想政治工作贯穿教育教学全过程　开创我国高等教育事业发展新局面》，《人民日报》2016 年 12 月 9 日。

这些重要讲话和论述，成为当前和今后一个时期高等教育乃至整个教育事业改革发展的重要遵循。在新的形势下，我们必须牢牢掌握党对教育工作的领导权，坚持正确的政治方向，掌握教育领域意识形态工作的主导权，强化基层党组织的创造力、凝聚力和战斗力，为全面深化教育领域综合改革提供坚强的政治保证和组织保障。

总之，习近平总书记关于全面深化教育领域综合改革的思想，坚持了马克思主义教育理论的基本原则，与毛泽东、邓小平、江泽民、胡锦涛等党和国家领导人的教育思想既一脉相承又与时俱进，同时创造性地提出了一系列体现时代特征和改革创新精神的新理念新思想新观点。这些新理念新思想新观点，是在立足基本国情、深刻分析当前教育事业发展的阶段性特征，遵循教育发展规律、科学谋划教育改革发展基础上形成的，有着强烈的现实针对性，是党中央全面深化改革战略布局在教育领域的具体贯彻和落实，是新时代中国特色社会主义教育事业改革发展的指导思想。

第八章

坚持把服务中华民族伟大复兴作为教育的重要使命

不忘初心，方得始终。中国共产党人的初心和使命，就是为中国人民谋幸福，为中华民族谋复兴。

——习近平总书记在中国共产党第十九次全国代表大会上的报告

“坚持把服务中华民族伟大复兴作为教育的重要使命”，[①] 是在新时代对教育事业创新发展提出的重要部署。深入学习和贯彻习近平总书记关于教育的重要论述，就要将教育使命与中华民族伟大复兴紧密结合在一起，要认清历史方位、把握国际坐标、立足中国现实；要重新审视使命、发展使命、践行使命；要长远谋划、脚踏实地、持续发力；要在复兴路上助力复兴，为伟大复兴担当教育使命。

一、认清历史方位，审视教育使命

教育的重要使命需要在历史方位中重新审视。党的十九大报告指出，“不忘初心，方得始终。中国共产党人的初心和使命，就是为中国人民谋幸福，为中华民族谋复兴。”[②] 中国共产党在不同历史阶段的使命侧重有所不同，对教育使命的表述也随之有所变化，但根本上说来，与中国共产党的初心和使命是一致的，即人民幸福和民族复兴。

---

① 《习近平在全国教育大会上强调　坚持中国特色社会主义教育发展道路　培养德智体美劳全面发展的社会主义建设者和接班人》，《人民日报》2018 年 9 月 11 日。

② 习近平：《决胜全面建成小康社会　夺取新时代中国特色社会主义伟大胜利——在中国共产党第十九次全国代表大会上的报告》，《人民日报》2017 年 10 月 28 日。

教育的使命和责任与各个阶段的历史特征密切联系。党的十九大对我国历史方位的基本判断是，“中国特色社会主义进入新时代，意味着近代以来久经磨难的中华民族迎来了从站起来、富起来到强起来的伟大飞跃，迎来了实现中华民族伟大复兴的光明前景”。①“站起来”是一个政治象征。通过新民主主义革命夺取政权，建立起社会主义基本制度。“富起来”是一种实然描述。通过改革开放，解放生产力，从经济上翻了身。“强起来”是一个过程概念，与伟大复兴、伟大旗帜、道路、制度、文化、现代化、智慧和方案等话语相关。“强起来”需要强大的政治保证，也需要强大的经济做后盾和基础，更需要强大的文化引领。2018 年 12 月 18 日，习近平总书记在庆祝改革开放 40 周年大会上发表重要讲话指出：“我们要加强文化领域制度建设，举旗帜、聚民心、育新人、兴文化、展形象，积极培育和践行社会主义核心价值观，推动中华优秀传统文化创造性转化、创新性发展，传承革命文化、发展先进文化，努力创造光耀时代、光耀世界的中华文化。”②

中华民族伟大复兴的一个重要标志就是文化强盛。在庆祝改革开放 40 周年大会上，习近平总书记豪迈地宣告：“我们积极推动建设开放型世界经济、构建人类命运共同体，促进全球治理体系变革，旗帜鲜明反对霸权主义和强权政治，为世界和平与发展不断贡献中国智慧、中国方案、中国力量。我国日益走近世界舞台中央，成为国际社会公认的世界和平的建设者、全球发展的贡献者、国际秩序的维

---

①　习近平：《决胜全面建成小康社会　夺取新时代中国特色社会主义伟大胜利——在中国共产党第十九次全国代表大会上的报告》，《人民日报》2017 年 10 月 28 日。

②　习近平：《在庆祝改革开放 40 周年大会上的讲话》，《人民日报》2018 年 12 月 19 日。

护者！”[①] 在国际舞台上，中国正在展现出新的、强大的文化形象。

文化强盛既表现在凝聚民族思想精华、丰富人民精神生活的内部力量上，也表现在吸收世界先进思想并且影响世界思想走向和文化潮流的外部力量上。文化强盛最为根本和最为核心的，是人的自由全面发展。教育与政治、经济和文化相呼应，从思维框架、话语表达到日常行动，呈现出相应的阶段性特征。2019年，中共中央、国务院印发《中国教育现代化2035》，这是中国积极参与全球教育治理，履行对联合国2030可持续发展议程承诺，为世界教育发展贡献中国智慧、中国经验、中国方案的实际行动。

进入新时代，教育发展必须顺应时代潮流。教育服务中华民族伟大复兴，必须在正确的政治路线指导下，全面提高国民的综合素质。要充分深刻地认识到教育在经济发展中的重要作用，特别是在创新动能中的作用。一方面防止极端化的教育产业论倾向，另一方面还要继续提倡将教育与升级版的生产劳动相结合，与解放创造力、提高生产力相结合，为激发经济动能、推动经济发展、巩固经济基础作贡献。让文化软实力越来越成为推动实现中华民族国际地位提升、中国人民对美好幸福生活向往的重要力量和重要条件，我们必须跳出狭义教育的框架，塑造广义的教育观。除了继续推动学校教育改革创新，还要发挥媒体、影视、场馆等各类社会活动场所的教育影响作用，利用多种形式和渠道传播社会主义核心价值观，推动中华优秀传统文化的创造性转化、创新性发展，推动中华民族的文化复兴和文化创造。

① 习近平：《在庆祝改革开放40周年大会上的讲话》，《人民日报》2018年12月19日。

二、把握国际坐标，发展教育使命

教育的重要使命需要在国际坐标中发展。中华民族始终是和世界其他各国和地区的人民共处一个地球上繁衍发展的。伴随商贸发展，一方面经济上的互惠互利打通了多重贸易通道，另一方面世界文明互学互鉴，形成美美与共的融合现象。与此同时，利益的纷争和权力的争夺，也因接触和互动的增加而不可避免。

进入新世纪后，我国一跃成为世界第二大经济体，所取得的成就为世界瞩目。在国际社会大呼 21 世纪是“中国的世纪”的时候，我们自当保持清醒，一方面在国际坐标中找准位置，在价值制高点上掌握话语权，承担国际责任，建立国际信任；另一方面还要认清现实，本着务实的态度，辩证地看待中华民族伟大复兴和人类命运共同体构建的关系，充分发挥教育的基础性、先导性、发展性功能。

教育服务伟大复兴，要做大格局、开放思维，确立世界坐标。中华民族的伟大复兴不能离开世界和平和人类发展。与狭隘民族主义、民族虚无主义、民粹主义形成鲜明对照，倡导构建人类命运共同体，是国际主义和世界精神的体现。2014 年 3 月 27 日，习近平主席在联合国教科文组织总部的演讲中指出：“文明交流互鉴，是推动人类文明进步和世界和平发展的重要动力。”“当今世界，人类生活在不同文化、种族、肤色、宗教和不同社会制度所组成的世界里，各国人民形成了你中有我、我中有你的命运共同体。”① 构建人类命运共同体是和中华民族的伟大复兴相贯通的。人类命运共同体包含了中华民族共同

① 习近平：《在联合国教科文组织总部的演讲》，《人民日报》2014 年 3 月 28 日。

体。要推动构建人类命运共同体，首先要推动构建中华民族共同体。离开中华民族认同与民族自信的伟大复兴是不可能的。同样地，不看人类共同拥有的国际格局，中华民族伟大复兴也就无由参照。培养德智体美劳全面发展的社会主义建设者和接班人，要在世界坐标中定位，要在文明互鉴中实施，要在国际舞台上绽放。

教育服务中华民族伟大复兴，要立足中国大地，坚持以我为主，培育从内而外、吐故纳新、包容共生，由独立自主到相互依存、共同建设的学习文化。中华民族伟大复兴不是回到从前盛世，不是消极地洗刷历史耻辱，而是厚德载物、自强不息的民族精神的光照铺展，是通过教育点亮个体心灵，焕发创造激情，增强建设能力，在自力更生和国际合作双轮驱动下，积极争取社会进步和国家强盛，推动构建人类命运共同体的长期奋发过程。2013 年 4 月，习近平主席向清华苏世民学者项目启动仪式致贺信指出，今天的世界是各国共同组成的命运共同体。战胜人类发展面临的各种挑战，需要各国人民同舟共济、携手努力。教育应该顺此大势，通过更加密切的互动交流，促进对人类各种知识和文化的认知，对各民族现实奋斗和未来愿景的体认，以促进各国学生增进相互了解、树立世界眼光、激发创新灵感，确立为人类和平与发展贡献智慧和力量的远大志向。①

培养知识创造与传播的贡献者、国际理解与沟通的当事者、社会责任与义务的承担者，乃是教育的重要使命，也是教育服务中华民族伟大复兴的重要体现。没有知识的创造和有效的传递转化，中华民族伟大复兴是难以想象的。在知识经济时代，知识的价值更显重要。

---

① 《清华大学苏世民学者项目启动仪式在京举行》，《人民日报》2013 年 4 月 22 日。

开创教育对外开放新格局是新时代面向教育现代化的战略任务。参与全球教育治理是新时代的重要教育主题。经济全球化、信息化和市场化成为世界政治、经济和文化互动不可回避的大背景，我们要全面提升国际教育交流合作水平。

当前，唯分数、唯升学、唯文凭、唯论文、唯帽子的倾向尚有市场，志愿服务、社会救济在学校教育中还有待于进一步加强。面对不断恶化的自然环境和不确定性日益增加的世界，教育需要承担更多、更大的社会责任。

三、立足中国现实，践行教育使命

教育的重要使命需要立足中国现实。中华民族伟大复兴是一个过程，要有阶段性的目标，还要面对阶段性的难题和挑战。伟大复兴是一个整体性的概念，涉及方方面面。教育服务中华民族伟大复兴，要立足中国现实，从实际出发，既要看到我们与心目中的复兴目标之间的差距，也要看到为服务这个目标所需要的教育能力的差距。只有认清差距，并采取各种措施缩小差距，才有可能践行教育使命，助力伟大复兴。

教育服务中华民族伟大复兴，首先要明确谁是教育者。长期以来，人们把学校看作教育实施的主要场所，将教师看作实施教育的主要主体。但是，学校教育只是教育的一种形式。在学习型社会，无处不是教育场所，无人不是教育者。将学校教育与社会大环境隔离，难以造就服务伟大复兴的教育环境。因此，教育乃是全社会的责任。立德树人要从学校教育抓起，但是也需要全社会增强教育意识，将道德意蕴、智慧激发、审美趣味等元素注入包括现实空间和虚拟空间在内的各类活动场域，发挥环境育人的作用，并使越来越多的合格公民承担起学习者和教育者的双重责任。

教育服务中华民族伟大复兴，要肩扛促进社会平等和创新发展双重责任。我国人口逾 13 亿，以人民为中心是一切事业的核心价值，也是教育事业的价值遵循。基于“在人民中、为了人民”的教育设计，为新时代所需。以人民为中心的教育要求树立“每个人都重要”、“一个都不能少”的思想，通过教育公平促进社会公平。2016 年 9 月 9 日，习近平总书记到北京市八一学校考察时强调，要不断促进教育发展成果更多更公平惠及全体人民，以教育公平促进社会公平正义。[①] 我们要在教育公平的思想指导下保证每一个公民的基本教育权受到尊重。同时还要尊重教育规律，因材施教，普及与提高相结合，发展英才教育。从人口大国到人力资源强国转型，人才是根本。人才，是革命、建设、改革、发展，各个阶段、各种使命、各项任务必须依靠的资源。“四个自信”需要教育自信支持。教育自信取决于公平和质量双轮支撑，需要从学校教育改革和社会教育改造的集体行动中建立。

教育服务中华民族伟大复兴，要从能力建设出发锻造教育能力。古人云：“授人以鱼不如授人以渔。”我们既需要培养“渔”的能力，也需要培养“授渔”的能力。强大的教育可行能力和丰富的教育功能性活动，是服务中华民族伟大复兴重要使命的基础工程。

---

① 《习近平在北京市八一学校考察时强调　全面贯彻落实党的教育方针　努力把我国基础教育越办越好》，《人民日报》2016 年 9 月 10 日。

第九章

坚持把教师队伍建设作为基础工作

教师重要，就在于教师的工作是塑造灵魂、塑造生命、塑造人的工作。一个人遇到好老师是人生的幸运，一个学校拥有好老师是学校的光荣，一个民族源源不断涌现出一批又一批好老师则是民族的希望。国家繁荣、民族振兴、教育发展，需要我们大力培养造就一支师德高尚、业务精湛、结构合理、充满活力的高素质专业化教师队伍，需要涌现一大批好老师。

——习近平总书记同北京师范大学师生代表座谈时的讲话

百年大计，教育为本；教育大计，教师为本。

习近平总书记不仅对教师问题有非常丰富的论述，而且多次到学校看望教师，多次给教师写信，对自己的老师也有许多尊敬爱戴的感人事迹，以实际行动充分体现出对教育的重视、对教师的敬重，以实际行动指出好老师是民族的希望。在党的十九大报告中，习近平总书记代表党中央再次明确指出："加强师德师风建设，培养高素质教师队伍，倡导全社会尊师重教。"①

一、教师工作的本质是塑造灵魂塑造生命塑造人

2014年5月4日，习近平总书记在与北京大学师生代表的座谈中指出："教师要时刻铭记教育人的使命，甘当人梯，甘当铺路石，以人格魅力引导学生心灵，以学术造诣开启学生的智慧之门。"②

2014年教师节前夕，习近平总书记在与北京师范大学师生代表座谈时指出："教师是人类历史上最古老的职业之一，也是最伟

① 习近平：《决胜全面建成小康社会　夺取新时代中国特色社会主义伟大胜利——在中国共产党第十九次全国代表大会上的报告》，《人民日报》2017年10月28日。

② 习近平：《青年要自觉践行社会主义核心价值观——在北京大学师生座谈会上的讲话》，《人民日报》2014年5月5日。

大、最神圣的职业之一。”[①] 他希望教师努力为发展具有中国特色、世界水平的现代教育，培养社会主义事业建设者和接班人作出更大贡献。[②]

2016年教师节前夕，习近平总书记到北京市八一学校看望慰问师生时强调，教育决定着人类的今天，也决定着人类的未来。希望广大教师认清肩负的使命和责任，教育和引导学生热爱祖国、热爱人民、热爱中国共产党，教育和引导学生心中要有国家和民族，意识到肩负的责任，牢固树立为祖国服务、为人民服务的意识，立志成为党和人民需要的人才。[③]

教师在我国教育体系中发挥着不可替代的作用。习近平总书记在与北京师范大学师生代表座谈时对教师的工作性质做了重要定位：“教师重要，就在于教师的工作是塑造灵魂、塑造生命、塑造人的工作。”[④] 他在全国高校思想政治工作会议上强调，教师是人类灵魂的工程师，承担着神圣使命。[⑤]

教育不是把知识从一个脑袋装进另外一个脑袋，而是要培养真正的人。随着科技的发展，单纯传授知识越来越简单。但是，培养真正

---

① 习近平：《做党和人民满意的好老师——同北京师范大学师生代表座谈时的讲话》，《人民日报》2014年9月10日。

② 习近平：《做党和人民满意的好老师——同北京师范大学师生代表座谈时的讲话》，《人民日报》2014年9月10日。

③ 《习近平在北京市八一学校考察时强调　全面贯彻落实党的教育方针　努力把我国基础教育越办越好》，《人民日报》2016年9月10日。

④ 习近平：《做党和人民满意的好老师——同北京师范大学师生代表座谈时的讲话》，《人民日报》2014年9月10日。

⑤ 《习近平在全国高校思想政治工作会议上强调　把思想政治工作贯穿教育教学全过程　开创我国高等教育事业发展新局面》，《人民日报》2016年12月9日。

的人，随着社会的发展，在不同时期会出现不同的问题，呈现不同的难点，使得教师的工作具有显著的创造性、长期性和社会性特点。

教师工作的创造性体现在，教师面对的每一名学生，都是一个特殊的个体，既要了解学生的共性，掌握学生学习认知的科学规律，又要掌握其形形色色的个性，使每一名学生都得到充分发展。所以，一名好老师，需要像一名农民，埋首于三尺讲台，苦苦耕耘；需要像一名工人，既熟悉流水线上的每个环节，又能切实负责自己的教学；需要像一名哲学家，对人生的价值意义有着高屋建瓴的通盘思考；需要像一名设计师，能够把所有思考绘制为精确的蓝图；需要像一名工程师，能够把蓝图中描绘的一切美好，化作不断得到落实的细致行动；需要像一名发明家，面对行动中出现的各种新问题，随时随地以新的方法及时解决；需要像一名艺术家，敏锐地发现美好，热情地鼓舞和讴歌……总而言之，教育过程是一个千变万化的过程，教育的内容和方法，必须随着科学技术的发展和学生身心特点不断改变。人生没有彩排，教师的育人过程也时时刻刻都是“现场直播”，有很多因素是难以预料的，教师应该善于运用教育原理、利用教育智慧来处理各种偶发事件。

教师工作的长期性，是由人的成长周期决定的。生命的成长，是一个漫长的过程。人的成长，更是一个缓慢的过程。好老师应对学生的终身教育负责，要为学生设计一生的发展规划，对学生产生长期的、连续的影响。好老师带给学生的绝不仅仅是好分数，更是一生取之不尽用之不竭的成长力量，是好品质、好习惯、好能力。

教师工作具有社会性，其根源在于生命的成长是一个受家庭、学校、社区多方面影响的过程，三者不是相互孤立的教育“孤岛”，而是彼此联系、互相补充的“环岛”。就对学生的影响来说，三者没有轻重主从、高低贵贱之分。三者合作共育，才是教育最佳的状态。教师的舞台不仅在三尺讲台、一角课堂，还要争取各个学科、各个年级的教师通力合作，争取家庭与社会的配合，争取全社会的共同配合。

教师的工作特点，决定了教育是一项极其复杂的劳动，需要用整个身心竭尽全力投入。教师不仅是在塑造学生的心灵，塑造人的生命，其实也是在塑造未来社会的形象，创造未来社会的品质。

也正是在这个意义上，习近平总书记深有感触地说："一个人遇到好老师是人生的幸运，一个学校拥有好老师是学校的光荣，一个民族源源不断涌现出一批又一批好老师则是民族的希望。"①

二、树立"四有"好老师标准

怎样的老师才是好老师？习近平总书记提出了四条标准：要有理想信念、要有道德情操、要有扎实学识、要有仁爱之心。他在北京市八一学校与教师座谈时，又提出了四个"引路人"："广大教师要做学生锤炼品格的引路人，做学生学习知识的引路人，做学生创新思维的引路人，做学生奉献祖国的引路人。"②他在全国高校思想政治工作会议上强调，高校教师要努力成为先进思想文化的传播者、党执政的坚定支持者，更好担起学生健康成长指导者和引路人的责任。③

① 习近平：《做党和人民满意的好老师——同北京师范大学师生代表座谈时的讲话》，《人民日报》2014年9月10日。

② 《习近平在北京市八一学校考察时强调 全面贯彻落实党的教育方针 努力把我国基础教育越办越好》，《人民日报》2016年9月10日。

③ 《习近平在全国高校思想政治工作会议上强调 把思想政治工作贯穿教育教学全过程 开创我国高等教育事业发展新局面》，《人民日报》2016年12月9日。

这些讲话，不仅明确提出了优秀教师的基本要求与条件，也为教师的培养和专业成长指明了方向。

2017 年 3 月 4 日，在全国政协十二届五次会议期间，习近平总书记在看望民进、农工党、九三学社的政协委员时说，我国知识分子历来有浓厚的家国情怀，有强烈的社会责任感，重道义、勇担当。他希望我国广大知识分子自觉做践行社会主义核心价值观的模范，坚持国家至上、民族至上、人民至上，身体力行带动全社会遵循社会主义核心价值观，并积极投身创新发展实践，不断攀登创新高峰。[①] 某种意义上，教师不仅是知识分子，而且是特殊的知识分子。习近平总书记的这番讲话，也适用于教师不断提高自身修养。

（一）理想信念，是源头活水，是好老师的不竭动力

习近平总书记指出，正确理想信念是教书育人、播种未来的指路明灯。[②] 通往未来的路，永远不可能一蹴而就，总需要人去探索。一名好老师，应该把“传道”之“道”蕴含在“授业”、“解惑”的过程之中，用正确的方法诠释科学的理念，以自身的理解去诠释和传播中华优秀传统文化，汲取世界文明，从而培养出真正的建设者，用行动助力中华民族伟大复兴中国梦的实现。

2017 年 5 月 3 日，习近平总书记在中国政法大学考察时强调，

---

① 《习近平在看望参加政协会议的民进农工党九三学社委员时强调　我国广大知识分子要主动担当积极作为　为国家富强民族振兴人民幸福多作贡献》，《人民日报》2017 年 3 月 5 日。

② 习近平：《做党和人民满意的好老师——同北京师范大学师生代表座谈时的讲话》，《人民日报》2014 年 9 月 10 日。

法学专业教师要坚定理想信念，带头践行社会主义核心价值观，在做好理论研究和教学的同时，深入了解法律实际工作，促进理论和实践相结合，多用正能量鼓舞激励学生。①

教师要树立哪些理想信念呢？2013年9月9日，习近平总书记向全国广大教师致慰问信，勉励全国广大教师牢固树立中国特色社会主义理想信念，牢固树立终身学习理念，牢固树立改革创新意识，为发展具有中国特色、世界水平的现代教育作出贡献。②

（二）道德情操，是境界修为，是好老师的成长阶梯

良好的道德情操，会保证教师在处理好自己与他人、与集体、与国家的关系中，成为一个不断自我提升的人。

习近平总书记在全国高校思想政治工作会议上强调，要加强师德师风建设，坚持教书和育人相统一，坚持言传和身教相统一，坚持潜心问道和关注社会相统一，坚持学术自由和学术规范相统一，引导广大教师以德立身、以德立学、以德施教。③

好老师的道德情操最终要体现到对所从事职业的忠诚和热爱上来。真正的教育不仅发生在课堂上，同时发生在师生交流的任何一个时刻。教师的道德情操，彰显出榜样的力量，体现出生命对生命的灌溉、精神对精神的濡染。

---

① 《习近平在中国政法大学考察时强调　立德树人德法兼修抓好法治人才培养　励志勤学刻苦磨炼促进青年成长进步》，《人民日报》2017年5月4日。

② 《习近平向全国广大教师致慰问信》，《人民日报》2013年9月10日。

③ 《习近平在全国高校思想政治工作会议上强调　把思想政治工作贯穿教育教学全过程　开创我国高等教育事业发展新局面》，《人民日报》2016年12月9日。

（三）扎实学识，是行动利器，是好老师的实践工具

习近平总书记说的扎实学识，包括了专业技能等教师从教需要的知识、能力与教育智慧。在信息社会，教师如果没有扎实的学识就会寸步难行。信息化条件下的知识很容易获取，教师垄断知识、受教育者必须被动接受知识的关系已经不复存在。在各种高科技手段的辅助下，学生掌握某些新知识、新技能的速度甚至比教师还快，这种文化反哺是教师必须面对的时代特征之一。所以，教师在拥有扎实学识的同时，更应该拥有传播知识的能力，在对学生“授之以鱼”的过程中实现“授之以渔”的目标。

在经济全球化背景下，思想的多元化、生活的多面性，导致教师在教育中所遭遇、面对的问题越来越复杂，这就要求教师具有教育智慧。如果仅仅掌握了知识，而不是将知识转化为智慧，不能掌握相应的处理方法、技巧，很可能会出现教师越卖力、教得越吃力的状况。在极端情况下，甚至会造成师生之间的矛盾，使师生双方都受到伤害。

因此，好老师应该善于不断学习，学会站在大师的肩膀上进行专业阅读，站在团队的肩膀上进行专业交往，站在师生的角度进行专业反思。要乐于阅读学习他人的成功经验，乐于分享自我的成长收获，在践行中不断总结提升，把一线经验完善丰富为教育智慧，在自己的工作领域逐渐成长为专家。

（四）仁爱之心，是幸福之本，是好老师的成就之根

仁者爱人。因爱人，而互爱，教育从而拥有了生命的温度。

教师的职业特点决定了其不能成为经济上的大富翁，拥有丰厚的

物质财富，但可以因为自己的成长直接使学生有更好的发展，而收获精神上的富足和愉悦。“得天下英才而教育之”、“桃李满天下”的幸福感，是一种无法用金钱衡量的满足。

习近平总书记在与北京师范大学师生代表座谈时说：“老师在学生心目中具有重要位置，老师无意间的一句话，可能造就一个天才，也可能毁灭一个天才。好老师一定要平等对待每一个学生，尊重学生的个性，理解学生的情感，包容学生的缺点和不足，善于发现每一个学生的长处和闪光点，让所有学生都成长为有用之才。”①

总之，一颗仁爱之心会保证教师良好的生命状态，会确保其专业技能的正常发挥。一个厌恶教育的人，肯定不可能成为好教师。一个能够从工作中发现幸福的教师，肯定会更乐于投身教育之中。天长日久，这种幸福感不仅会成为一种前进的动力，激发教师创造更多幸福，也会成为教师理想信念的重要源泉。

教师职业是一项寓神圣于平凡的工作。只要拥有理想信念、道德情操、扎实学识和仁爱之心，就能更好地激活自身的潜力，把不利化为有利。这样的教师，这样的努力，这样的生命，又怎能不奏出一支生命和教育的宏大交响乐呢？

三、缔造一支素质优良甘于奉献的教师队伍

习近平总书记对教育公平高度关注。他在考察北京市八一学校时指

---

① 习近平：《做党和人民满意的好老师——同北京师范大学师生代表座谈时的讲话》，《人民日报》2014 年 9 月 10 日。

出，教育公平是社会公平的重要基础，要不断促进教育发展成果更多更公平惠及全体人民，以教育公平促进社会公平正义。[①] 解决教育公平和农村教育问题，发展革命老区、民族地区、边远地区、贫困地区的基础教育，关键还是教师问题。为了缔造一支素质优良、甘于奉献、扎根乡村的教师队伍，习近平总书记或是写信，或是探望，或是督促有关部门制定和落实相关政策。

2014 年，一群西部支教毕业生代表收到了习近平总书记一封热情洋溢的回信。习近平总书记在回信中说，我在西部地区生活过，深知那里的孩子渴求知识，那里的发展需要人才。多年来，一批批有理想、有担当的青年，像你们一样在西部地区辛勤耕耘、默默奉献，为当地经济社会发展、民族团结进步作出了贡献。[②] 习近平总书记在信中勉励全国青年学生以他们为榜样，“到基层和人民中去建功立业，让青春之花绽放在祖国最需要的地方，在实现中国梦的伟大实践中书写别样精彩的人生”。[③]

2015 年 8 月，“国培计划（2014）”北京师范大学贵州研修班参训教师给习近平总书记写信汇报了他们一年的学习与工作情况。9 月 9 日，习近平总书记在回信中强调：“希望你们牢记使命、不忘初衷，扎根西部、服务学生，努力做教育改革的奋进者、教育扶贫的先行者、学生成长的引导者，为贫困地区教育事业发展、为祖国下一代健

---

① 《习近平在北京市八一学校考察时强调　全面贯彻落实党的教育方针　努力把我国基础教育越办越好》，《人民日报》2016 年 9 月 10 日。

② 《习近平给河北保定学院西部支教毕业生群体代表回信》，《人民日报》2014 年 5 月 4 日。

③ 《习近平给河北保定学院西部支教毕业生群体代表回信》，《人民日报》2014 年 5 月 4 日。

康成长继续作出自己的贡献。”①

习近平总书记不仅勉励教师们扎根西部，为贫困地区教育事业发展作出贡献，也非常关注他们的工作与生活条件的改善。2015年4月，习近平总书记主持召开了十八届中央全面深化改革领导小组第十一次会议。这次会议审议通过了《乡村教师支持计划（2015—2020年）》。该计划明确提出，要把乡村教师队伍建设摆在优先发展的战略地位，多措并举、定向施策、精准发力，通过全面提高乡村教师思想政治素质和师德水平、拓展乡村教师补充渠道、提高乡村教师生活待遇、统一城乡教职工编制标准、职称（职务）评聘向乡村学校倾斜、推动城镇优秀教师向乡村学校流动、全面提升乡村教师能力素质、建立乡村教师荣誉制度等举措，努力造就一支素质优良、甘于奉献、扎根乡村的教师队伍。

目前，乡村教师支持计划正在紧锣密鼓的推进之中。一支专业素质优良、甘于自我奉献、乐于扎根乡村的教师队伍，必然是一支拥有专业实力和教育情怀的优秀教师队伍，是一支在教育的较量中能够赢得未来的教师队伍。期待这一目标能够早日实现。

四、推动全社会用实际行动体现“尊师敬教”

基于对教育重要性的深刻认识，对教师的深厚感情，习近平总书记在每年的教师节都亲自走访学校、慰问老师，用行动倡导全社会大力弘扬“尊师敬教”的良好风尚，让广大教师安心从教、热心从教、

---

① 《习近平总书记给“国培计划（2014）”北师大贵州研修班参训教师的回信》，《人民日报》2015年9月10日。

舒心从教、静心从教。

2013年是第二十九个教师节，远在乌兹别克斯坦进行国事访问的习近平总书记专门写信向全国广大教师致以节日问候。他在信中希望“教师成为最受社会尊重的职业”。①

2014年9月9日，习近平总书记会见出席庆祝第三十个教师节暨全国教育系统先进集体和先进个人表彰大会的受表彰代表，向受到表彰的先进集体和先进个人表示热烈祝贺，向全国广大教师和教育工作者致以节日的问候。②

2014年9月9日，习近平总书记专门到北京师范大学看望师生，提出“四有好老师”标准。③

2015年9月9日，习近平总书记给“国培计划（2014）”北京师范大学贵州研修班全体教师回信提出殷切希望，并向全国广大教师致以节日的祝贺和诚挚的祝福。④习近平总书记收到浙江大学张泽等49名教师的来信，他及时通过浙江省委转达了对浙大教师的节日祝贺，并回复来信。⑤

习近平总书记不仅强调尊师敬教的重要性，也身体力行成为尊师敬教的表率。他曾说过：“教过我的老师很多，至今我都能记

① 《习近平向全国广大教师致慰问信》，《人民日报》2013年9月10日。

② 《习近平会见庆祝第三十个教师节暨全国教育系统先进集体和先进个人表彰大会受表彰代表》，《人民日报》2014年9月10日。

③ 参见习近平：《做党和人民满意的好老师——同北京师范大学师生代表座谈时的讲话》，《人民日报》2014年9月10日。

④ 《习近平总书记给“国培计划（2014）”北师大贵州研修班参训教师的回信》，《人民日报》2015年9月10日。

⑤ 参见《浙大49位老师给习总书记写信　教师节前一天，他们收到了回复》，《钱江晚报》2015年9月10日。

得他们的样子，他们教给我知识、教给我做人的道理，让我受益无穷。”[①]2016年9月9日，习近平总书记来到自己的母校北京市八一学校看望师生，在座谈会上作了重要讲话，指出广大教师要做学生的“四个引路人”。[②]习近平总书记还专门看望了自己当年的老师。他与陈仲韩、陈秋影等几位老师一一握手，愉快回忆往事，还聊起其他老师、同学的近况。他说，当年老师对我们要求十分严厉，现在回想起来，终生受益。一位教师对总书记说：“您给人民带来了幸福。”习近平总书记答道：“是老师培养了我们。”在与师生代表座谈时，八一学校校长沈军发言说，欢迎首长回到母校。习近平总书记说：“到这儿就没有首长了，都是学生。”[③]

习近平总书记与自己的语文老师陈秋影的长期交往，早已在教育界乃至社会上传为佳话。习近平总书记以自己的行动，体现出“尊师敬教”的风范。“敬教”体现出对教育本身的敬重，对教育价值意义的高度认可。习近平总书记在全国教育大会上指出，全党全社会要弘扬尊师重教的社会风尚，努力提高教师政治地位、社会地位、职业地位，让广大教师享有应有的社会声望，在教书育人岗位上为党和人民事业作出新的更大的贡献。[④]教育是关乎人类未来的神圣事业，教师

---

① 习近平：《做党和人民满意的好老师——同北京师范大学师生代表座谈时的讲话》，《人民日报》2014年9月10日。

② 参见《习近平在北京市八一学校考察时强调　全面贯彻落实党的教育方针　努力把我国基础教育越办越好》，《人民日报》2016年9月10日。

③ 《习近平回到母校看望师生　祝贺教师节》，2016年9月9日，见http://www.xinhuanet.com/politics/2016-09/09/c_1119541878.htm。

④ 《习近平在全国教育大会上强调　坚持中国特色社会主义教育发展道路　培养德智体美劳全面发展的社会主义建设者和接班人》，《人民日报》2018年9月11日。

决定了教育的质量和教育的未来。因此，对教育怀有一份敬畏之心，才会更加对教师深怀一份尊重之情。

好老师是民族的希望，这是习近平总书记对教育、对教师的寄语，也应该成为教师自省的标准与自觉的行动。好老师作为民族的希望，不仅孕育着希望，也在实现着希望。

第十章

加快教育现代化

我们要抓住机遇、超前布局，以更高远的历史站位、更宽广的国际视野、更深邃的战略眼光，对加快推进教育现代化、建设教育强国作出总体部署和战略设计，坚持把优先发展教育事业作为推动党和国家各项事业发展的重要先手棋，不断使教育同党和国家事业发展要求相适应、同人民群众期待相契合、同我国综合国力和国际地位相匹配。

——习近平总书记在全国教育大会上的讲话

党的十九大报告高举习近平新时代中国特色社会主义思想伟大旗帜，是团结带领全党全国人民为实现中华民族伟大复兴中国梦而奋斗的政治宣言和行动纲领。党的十九大报告在“提高保障和改善民生水平，加强和创新社会治理”部分将优先发展教育事业置于首位，为加快教育现代化、建设教育强国指明了总体方向，并对教育服务“五位一体”总体布局和“四个全面”战略布局提出新的更高要求，我们可从以下三个方面提高认识、加深理解。

一、新时代加快教育现代化的战略部署

习近平总书记在同北京师范大学师生代表座谈时明确指出：“教育是提高人民综合素质、促进人的全面发展的重要途径，是民族振兴、社会进步的重要基石，是对中华民族伟大复兴具有决定性意义的事业。”① 改革开放40多年来，我们党团结带领人民开辟了中国特色社会主义道路，先后实现了解决人民温饱问题、人民生活总体上实现小康的目标，不久将全面建成小康社会，教育事业发挥了基础性、先导性、全局性作用。党的十八大以来，在以习近平同志为核心的党中

① 习近平：《做党和人民满意的好老师——同北京师范大学师生代表座谈时的讲话》，《人民日报》2014年9月10日。

央正确领导下，在各级政府、教育系统和社会各界共同努力下，教育事业全面发展，教育质量和水平显著提高，教育领域综合改革不断深化，教育公平保障水平稳步提升。2017 年，全国学前教育毛入园率达到 79.6%，九年义务教育在城乡全面普及，巩固率为 93.8%，高中阶段教育基本普及，毛入学率达到 88.3%，高等教育在学总规模 3779 万人，毛入学率达到 42.7%。[①] 目前我国教育总规模居世界第一，教育普及程度和人力资源开发状况处于世界中高收入国家平均水平。总体上看，教育支撑服务经济社会发展能力显著增强，教育现代化取得重要进展，为社会主义现代化建设作出了重要贡献。

在此基础上，习近平总书记在党的十九大报告中进一步阐释："建设教育强国是中华民族伟大复兴的基础工程，必须把教育事业放在优先位置，深化教育改革，加快教育现代化，办好人民满意的教育。"[②] 在全国教育大会上，习近平总书记再次强调，加快推进教育现代化、建设教育强国、办好人民满意的教育。[③] 这一重要论述的历史渊源，可以回溯到改革开放之初，纵贯 40 年奋斗历程。20 世纪 80 年代邓小平同志从社会主义现代化的高度看教育，强调"教育要面向现代化，面向世界，面向未来"，要求把沉重人口负担转化为人才资源巨大优势。党的十四大报告第一次指出："我们必须把教育摆在优先发展的战略地位，努力提高全民族的思想道德和科学文化水平，这

① 《2017 年全国教育事业发展统计公报》，《中国教育报》2018 年 7 月 21 日。

② 习近平：《决胜全面建成小康社会 夺取新时代中国特色社会主义伟大胜利——在中国共产党第十九次全国代表大会上的报告》，《人民日报》2017 年 10 月 28 日。

③ 《习近平在全国教育大会上强调 坚持中国特色社会主义教育发展道路 培养德智体美劳全面发展的社会主义建设者和接班人》，《人民日报》2018 年 9 月 11 日。

是实现我国现代化的根本大计。”[①] 此后的党代会报告和中央全会文件多次强调在社会主义现代化建设全局中优先发展教育，党的十七大报告第一次提出“提高教育现代化水平”的重要要求。[②] 可以说，我们党自改革开放以来对教育事业的定位，就是始终要求现代化建设必须优先发展教育，同时要求教育自身现代化水平不断提高。

党的十九大报告第一次明确指出：“建设教育强国是中华民族伟大复兴的基础工程”，用以体现“优先发展教育事业”的核心理念和宏大背景，非常振奋人心。我们体会到，正是由于党的十九大报告作出中国特色社会主义进入了新时代、我国社会主要矛盾发生变化的重大历史性判断，才充分显示出我国优先发展教育事业的总方位、加快教育现代化的总方向、建设教育强国的总要求，这三者将是融为一体的重大战略部署，需要从中国特色社会主义新时代的本质内涵出发，在全党全社会进一步凝聚共识，在教育系统和社会各界形成更大合力。

党的十九大报告把原来设想的到本世纪中叶基本实现国家现代化的目标提早到2035年，并对本世纪中叶提出了全面建成社会主义现代化强国的更高目标。这意味着从现在起就要以深化教育改革为动力，以办好人民满意的教育为依归，教育优先发展地位更要牢固树立，教育现代化更要超前实现，教育强国建设分阶段目标任务也将尽快确立。与此相关，根据党的十九大报告的要求，在新时代建设教育强国的新征程中，我们必须坚定不移地以全面贯彻党的教育方针为统

① 江泽民：《加快改革开放和现代化建设步伐　夺取有中国特色社会主义事业的更大胜利——在中国共产党第十四次代表大会上的报告》，《人民日报》1992年10月21日。

② 胡锦涛：《高举中国特色社会主义伟大旗帜　为夺取全面建设小康社会新胜利而奋斗——在中国共产党第十七次全国代表大会上的报告》，《人民日报》2007年10月25日。

领，瞄准培养德智体美劳全面发展的社会主义建设者和接班人的总目标，在落实立德树人根本任务、发展素质教育、推进教育公平方面迈开新的步伐。这些都进一步体现我们党在“培养什么人、怎么培养人”等目标任务方面的继承与创新，在基本教育理念和教育政策价值基点等方面的顶层决策，既一以贯之，又与时俱进，是当前教育改革发展的行动指南和加快教育现代化的基本遵循。

二、以人民为中心推进教育现代化的新要求新举措

“中国共产党人的初心和使命，就是为中国人民谋幸福，为中华民族谋复兴。”① 党的十九大确立的习近平新时代中国特色社会主义思想，一个重要内容就是“明确新时代我国社会主要矛盾是人民日益增长的美好生活需要和不平衡不充分的发展之间的矛盾，必须坚持以人民为中心的发展思想，不断促进人的全面发展、全体人民共同富裕”。② 党的十九大要求坚持以人民为中心的发展思想，多谋民生之利、多解民生之忧，努力在幼有所育、学有所教、劳有所得、病有所医、老有所养、住有所居、弱有所扶上不断取得新进展，以适应人民对美好生活日益多样化、多层次、多方面的需要。

习近平主席 2013 年 9 月 25 日在联合国“教育第一”全球倡议行动一周年纪念活动的视频贺词中指出，中国将坚定实施科教兴国战

---

① 习近平：《决胜全面建成小康社会　夺取新时代中国特色社会主义伟大胜利——在中国共产党第十九次全国代表大会上的报告》，《人民日报》2017 年 10 月 28 日。

② 习近平：《决胜全面建成小康社会　夺取新时代中国特色社会主义伟大胜利——在中国共产党第十九次全国代表大会上的报告》，《人民日报》2017 年 10 月 28 日。

略，始终把教育摆在优先发展的战略位置，不断扩大投入，努力发展全民教育、终身教育，建设学习型社会，努力让每个孩子享有受教育的机会，努力让13亿人民享有更好更公平的教育，获得发展自身、奉献社会、造福人民的能力。[①] 党的十九大报告关于各级各类教育的新要求新举措，正是遵照习近平总书记重要讲话精神逐项明确的。

党的十九大报告首次把义务教育从均衡发展推向城乡一体化发展的新格局，其中农村义务教育必将是重中之重，同时，强调办好学前教育、特殊教育和网络教育的重要性，向各级政府、教育系统和社会各界发出新的动员令。党的十九大报告还要求统筹职业教育与培训，在体系建设上使其更为融合；通过一流大学和一流学科建设引领，将"高等教育内涵式发展"任务从倡导性的"推动"提升为刚性的"实现"，这些均是义务教育全面普及后不同阶段教育需要牢牢把握的重点。党的十九大报告继续要求支持和规范社会力量兴办教育，多措并举建设高素质教师队伍，办好继续教育，加快建设学习型社会，可以说，对我国教育改革发展作出全方位部署。其中，以下三个方面重大举措，对办好人民满意的教育具有特别重要的意义。

（一）推动城乡义务教育一体化发展，高度重视农村义务教育，是努力让每个孩子都能享有公平而有质量的教育的基本要求，也是健全城乡发展一体化体制机制、推进基本公共服务均等化的关键环节

世纪之交义务教育基本普及以来，我们党一直将义务教育均衡发展作为促进公平的政策要点。党的十八大以来，中西部和农村义务教

① 《习近平主席在联合国"教育第一"全球倡议行动一周年纪念活动上发表视频贺词》，《人民日报》2013年9月27日。

育明显加强，大中城市择校热有所缓解，农村学生营养改善计划深入实施，进城务工人员随迁子女和留守儿童受教育权利得到更好保障。但是，城乡之间义务教育质量差距仍然很大，农村学龄人口如果不能受到有质量的义务教育，将缺乏继续培训的基础，难以形成一技之长、获得稳定收入，不能很好适应现代农业、现代制造业、现代服务业的多样化需求，在阻断贫困代际传递方面也会遇到很大障碍。因此，随着综合国力的增强，在城乡基本公共服务制度并轨、标准统一方面，义务教育走在前面，既有法治保障又有物质基础。按照党的十九大精神，建立健全城乡融合发展体制机制，必然要推动城乡义务教育一体化发展，当前就要根据国家新型城镇化发展总体部署和本地城镇化进程，强化省级政府统筹，把义务教育纳入经济社会发展规划，与乡村振兴战略的布局融为一体，重点加快县域内城乡公办小学初中标准化建设，实现城乡校长教师交流轮岗制度化、常态化，进而推动有条件的地区市域内均衡发展，实现常住人口基本公共教育服务全覆盖，努力办好每所学校尤其是农村学校，面向城乡每个学生的切身发展需要。

（二）使绝大多数城乡新增劳动力接受高中阶段教育、更多接受高等教育，将与我国即将普及高中阶段教育、实现高等教育内涵式发展等部署紧密相连，是新时代大力提高国民素质、增强综合国力和国际竞争力的客观需要

我国教育规模稳居世界首位，但高中阶段毛入学率比高收入国家约低 10 个百分点，我国高等教育毛入学率虽然高于世界平均水平近 10 个百分点，但比高收入国家还低 30 多个百分点。我国劳动年龄人口和新增劳动力的平均受教育年限，分别为10.4年和13.3年，与发达国家相比也有很大差距。教育质量差距更为明显，技术技能型人才、大国工匠后备人才等方面结构性缺口很大。对此，习近平总书记在同北京师范大学师生代表座谈时深刻指出："'两个一百年'奋斗目标的实现、中华民族伟大复兴中国梦的实现，归根到底靠人才、靠教育。源源不断的人才资源是我国在激烈的国际竞争中的重要潜在力量和后发优势。"① 在巩固全面普及九年义务教育成果的基础上，通过健全学生资助制度，使绝大多数城乡新增劳动力接受高中阶段教育、更多接受高等教育，意味着我国劳动力市场门槛将逐渐提升为中职或高中学历及以上水平，这是紧扣我国社会主要矛盾变化，在"人口红利"趋弱形势下发挥人力资源优势的关键举措，也是适应科技进步、产业结构升级多样化需求的基本对策，将为决胜全面建成小康社会、开启全面建设社会主义现代化国家新征程提供更为坚实的人力资源支持，为增进民生福祉作出更大贡献。

（三）**办好网络教育、继续教育，加快建设学习型社会，与改革开放以来我们党重视全民学习、终身学习的重要理念一以贯之，是为实现"两个一百年"奋斗目标夯实人力资源基础的必然要求**

1995年《中华人民共和国教育法》首次确认终身教育在我国的法定地位，党中央文件多次部署学习型社会建设任务。习近平总书记明确指示，要构建衔接沟通各级各类教育、认可多种学习成果的终身学习立交桥，党的十八届三中、五中全会文件相继强调拓宽和畅通终

① 习近平：《做党和人民满意的好老师——同北京师范大学师生代表座谈时的讲话》，《人民日报》2014年9月10日。

身学习通道。今后国民思想道德素质、科学文化素质、身心健康素质的提高，社会文明程度达到新的高度，都离不开拓宽终身学习通道，建设符合国情的学习型社会。在我国教育普及状况同高收入国家差距逐步缩小的态势下，更要重视把满足适龄青少年儿童的教育需求与适应从业人员及其他社会成员的学习愿望有机结合起来。党的十九大报告首次单列网络教育，也具有长远战略意图。在一定意义上看，网络教育置于学前教育、特殊教育之后，应超越基于互联网的在线学习，被赋予新的含义。也就是说，不仅继续教育，而且教育全域都需要运用广义的网络方式，加强传统技术与高新技术的融合，协调虚拟网络与实体平台的运作，涵盖以往的广播电视函授教育、新近的在线教育和移动学习以及人工智能相助的学习新生态，为各种各样的学习者提供更为便捷有效的教育与学习条件，确保当今的教育与学习更好地顺应未来人的谋生发展需要，更加适应为实现"两个一百年"奋斗目标深度开发人力资源的要求。

三、增强教育服务战略布局能力

在新时代统筹推进"五位一体"总体布局和协调推进"四个全面"战略布局的过程中，教育系统将担负党和人民交给的重要使命任务。党的十九大报告明确提出："党政军民学，东西南北中，党是领导一切的。"[1]确定了新时代党的建设总要求，坚持把党的政治建设摆在首位，对党的政治建设、思想建设、组织建设、作风建设、纪律建设作

① 习近平：《决胜全面建成小康社会　夺取新时代中国特色社会主义伟大胜利——在中国共产党第十九次全国代表大会上的报告》，《人民日报》2017 年 10 月 28 日。

出新的全面部署，对全面从严治党提出了更高要求。教育系统将牢固树立政治意识、大局意识、核心意识、看齐意识，自觉维护以习近平同志为核心的党中央权威和集中统一领导，自觉在思想上、政治上、行动上同党中央保持高度一致，加强教育系统党的基层组织建设，坚定自觉地把党中央各项重大决策部署落到实处。

党的十九大报告所部署的教育事业，在中国特色社会主义事业“五位一体”总体布局中，主要安排在社会建设部分，同时要求教育在其他建设领域找准贡献点和服务点。

（一）在社会主义经济建设中，建设现代化经济体系，深化供给侧结构性改革，在建设实体经济、科技创新、现代金融、人力资源协同发展的产业体系，在人力资本服务等领域培育新增长点、形成新动能等方面，教育开发人力资源的长效作用将愈益显现

实施创新驱动发展战略，建立以企业为主体、市场为导向、产学研深度融合的技术创新体系，培养造就一大批具有国际水平的战略科技人才、科技领军人才、青年科技人才和高水平创新团队，职业教育和高等教育完全有条件积极参与。实施乡村振兴战略，教育系统应为加快推进农业农村现代化培养造就一支懂农业、爱农村、爱农民的“三农”工作队伍。实施区域协调发展战略，推动形成全面开放新格局，也都需要教育系统创造性地发挥作用。

（二）在社会主义政治建设中，深化依法治国实践，推进全民守法，加大全民普法力度，建设社会主义法治文化

教育系统应在依法治教、依法办学、依法治校的制度建设上先行，提高法治教育纳入国民教育体系后的实效。随着行政体制改革的深入，公办学校在深化事业单位改革，强化公益属性，推进政事分开、事企分开、管办分离等方面将迈上新的台阶，着力提高教育治理体系和治理能力现代化水平。

（三）在社会主义文化建设中，推进马克思主义中国化、时代化、大众化，建设具有强大凝聚力和引领力的社会主义意识形态，推动习近平新时代中国特色社会主义思想深入人心，教育系统应学在前面，做在前面

高等学校将成为深化马克思主义理论研究和建设、构建中国特色哲学社会科学、建设中国特色新型智库的骨干力量。培育和践行社会主义核心价值观，加强思想道德建设，教育系统将高度重视从娃娃抓起的要求。在推动文化事业和文化产业发展、广泛开展全民健身活动、推进国际传播能力建设方面，教育系统将是可以大有作为的基地。

（四）在社会主义社会建设中，大规模开展职业技能培训，鼓励创业带动就业，职业教育和高等教育将始终发挥生力军作用

加强社会保障体系建设，特别是健全农村留守儿童和妇女、老年人关爱服务体系，发展残疾人事业，教育系统可主动发力。脱贫攻坚注重扶贫同扶志、扶智相结合，重点攻克深度贫困地区脱贫任务，都离不开与教育系统协同作战。实施健康中国战略，教育系统要积极参与全科医生队伍建设，深入开展爱国卫生运动，加强人口发展战略研究。教育系统也要配合打造共建、共治、共享的社会治理格局。

（五）在社会主义生态文明建设中，人类必须树立尊重自然、顺应自然、保护自然的意识，应该帮助各级各类学校的师生员工自觉养成节约资源和保护环境的生活方式

绿色学校同绿色家庭、绿色社区、绿色出行的创建行动应相互配合、相辅相成，共同把可持续发展战略落到实处。这些都是教育现代化的重要使命。

“千里之行，始于足下。”党的十九大绘制的新时代社会主义现代化蓝图鼓舞人心，发出的向“两个一百年”奋斗目标进军号角催人奋进。对比部分后发国家在工业化社会前后追赶先发国家的教育现代化路径，中国教育现代化有所不同，主要瞄准本国现代化，根本是为了促进人的全面发展，最鲜明特征是中国特色社会主义教育制度下的现代化，而且要比国家现代化超前部署实施。我们深入贯彻党的十九大精神，全面开启新时代教育现代化新征程，主要靠中国人的力量办好中国人自己的事情，同时也需借鉴各国教育现代化经验。新时代的中国教育将务实创新、砥砺前行，阔步迈向教育强国，为实现中华民族伟大复兴的中国梦筑牢根基。

第十一章

建设教育强国

建设教育强国是中华民族伟大复兴的基础工程，必须把教育事业放在优先位置，深化教育改革，加快教育现代化，办好人民满意的教育。要全面贯彻党的教育方针，落实立德树人根本任务，发展素质教育，推进教育公平，培养德智体美全面发展的社会主义建设者和接班人。

——习近平总书记在中国共产党第十九次全国代表大会上的报告

党的十八大以来，习近平总书记站在治国理政的高度，总揽世界大局，论述了我国教育的理论问题和实践问题，形成了系统科学的新时代中国特色社会主义教育理论体系，不仅丰富了我国教育理论宝库，同时是新时代教育工作的根本遵循。

以党的十九大胜利召开为标志，中国特色社会主义已经进入了新时代，中国正稳健地走在实现“两个一百年”奋斗目标和中华民族伟大复兴中国梦的征程上，阔步从一个世界大国向着世界强国迈进。在这个新的时代、新的征程中，教育何为？习近平总书记在党的十九大报告中明确指出，“必须把教育事业放在优先位置，深化教育改革，加快教育现代化，办好人民满意的教育”，[①] 这为教育事业发展吹响了强劲的冲锋号。教育强则国家强，青年兴则民族兴。作为一个国家发展水平和发展潜力的重要标志，教育发展具有重大的历史和现实意义，而教育强国战略则关系全局、尤为重要。

习近平总书记指出，“建设教育强国是中华民族伟大复兴的基础工程”。[②] 教育强国战略是在贯彻落实党中央“五位一体”总体布局、

① 习近平：《决胜全面建成小康社会　夺取新时代中国特色社会主义伟大胜利——在中国共产党第十九次全国代表大会上的报告》，《人民日报》2017 年 10 月 28 日。

② 习近平：《决胜全面建成小康社会　夺取新时代中国特色社会主义伟大胜利——在中国共产党第十九次全国代表大会上的报告》，《人民日报》2017 年 10 月 28 日。

“四个全面”战略布局，夺取全面建成小康社会决胜阶段、实现中华民族伟大复兴中国梦的重要历史背景下，我国教育改革与发展的核心理念、总体方向和根本遵循。

一、教育强国战略的重要内涵

教育决定着人类的今天，也决定着人类的未来。[①] 党的十八大以来，以习近平同志为核心的党中央站在实现中华民族伟大复兴中国梦和人类社会永续发展的高度，提出实施教育强国战略。这一战略意义深远，是习近平新时代中国特色社会主义思想的重要组成部分，是我国教育事业发展的重要引领，具有丰富的理论和实践内涵。

（一）坚持教育改革的文化自信

在党的十八届六中全会上，习近平总书记指出，全党同志必须把对马克思主义的信仰、对社会主义和共产主义的信念作为毕生追求，坚定对中国特色社会主义的道路自信、理论自信、制度自信、文化自信。[②] 这“四个自信”不仅是我们党的最新理论成果，更是鼓舞和引领全社会砥砺前行的思想灯塔。习近平总书记在考察北京市八一学校时就指出，我们的教育改革要坚持文化自信，好的经验要坚持，不足的要补齐。[③]

① 《清华大学苏世民学者项目启动仪式在京举行》，《人民日报》2014 年 4 月 22 日。

② 《中共十八届六中全会在京举行》，《人民日报》2016 年 10 月 28 日。

③ 《习近平在北京市八一学校考察时强调　全面贯彻落实党的教育方针　努力把我国基础教育越办越好》，《人民日报》2016 年 9 月 10 日。

文化自信是更基本、更深沉、更持久的力量，建设教育强国，需要我们在教育改革中坚持文化自信。这种自信蕴含着一种海纳百川的胸襟与力量，既充分吸收历史上教育文化的优秀遗产和经验，又审慎学习国外一切先进的教育文化观念、政策和做法，在包容并蓄中强调自身在世界体系中的主体性，使传统文化及教育思想、革命文化及教育思想、社会主义先进文化及教育思想，在各级各类教育中均有鲜活体现。

（二）贯彻落实立德树人根本任务

党的十九大报告鲜明指出："落实立德树人根本任务。"① 这是我们党的教育基本方针，是教育发展的精髓内核和中心环节，是各项教育工作的出发点和落脚点。要把社会主义核心价值观融会到教育教学的方方面面，既教书又育人，坚持以德育为先、育人为本，真正帮助莘莘学子明大德、守公德、严私德，扣好人生的第一粒扣子。要遵循教育规律和学生身心发展规律，促进学生全面健康发展，着力培养德智体美全面发展的社会主义建设者和接班人。具体来说，就是根据不同阶段教育在人的终身发展中的地位、作用和规律，正确把握教育的本质，突出德育的重要性，科学确定各阶段的目的和任务，塑造青少年崇文尚德的世界观、人生观、价值观，做好身心健康、沟通表达、团结合作以及好奇心、想象力、求知欲、责任心、创造性等方面的培养，克服单纯以考试分数、中高考升学率为唯一标准评价学校、评价校长、评价教师的做法，把素质教育、全面发展树立为学校教学的主要任务，树立为全社会和家长对教育发展的评判标准。

---

① 习近平：《决胜全面建成小康社会　夺取新时代中国特色社会主义伟大胜利——在中国共产党第十九次全国代表大会上的报告》，《人民日报》2017 年 10 月 28 日。

（三）贯彻五大发展理念

党的十八届五中全会提出了创新、协调、绿色、开放、共享的发展理念，集中体现了以习近平同志为核心的党中央治国理政的新理念新思想新战略，对于“十三五”及以后一个时期我国经济社会发展包括教育改革发展具有深刻的指导意义，也是当代我国教育改革发展的思路、方向、着力点的集中体现。五大发展理念，每一个都有深刻的内涵和丰富的外延，都需要教育领域的深耕细作、生动实践。要以创新发展释放教育发展的活力，增强教育发展的动力，创新人才培养模式，尊重教育规律和学生身心发展规律，完善以突出创新为导向的教育评价制度体系，为创新型人才培养提供良好的环境和机制。要以协调发展不断优化教育结构，主动服务经济社会发展，引领经济社会发展，推动城乡教育、职普教育协调发展。要以绿色发展提升教育质量，注重内涵建设，注重培养师生绿色理念，养成绿色生活方式和行为规范。要以开放发展拓展教育资源，学习借鉴国外先进的办学思想、办学模式，主动融入“一带一路”倡议，加强与沿线国家及世界各国的全面交流与合作；打破校与校之间的壁垒，促进师资、设施设备、课程等资源的开放使用，既充分利用社会资源，又让社会分享教育资源，形成家校共育、学校社会协同的良好教育生态。要以共享发展促进教育公平，主动适应“互联网 +”带来的新变革，加快教育信息化步伐，扩大优质教育资源覆盖面，以共享理念帮助贫困落后地区跨越教育不均衡、不公平的鸿沟，真正阻隔贫困的代际传递。

（四）实现教育内涵式发展

改革开放以来，我国教育事业取得了举世瞩目的成就，教育规模显著扩大，发展速度明显加快。2017年，我国学前教育毛入园率为79.6%，达到中高收入国家平均水平；小学净入学率为99.91%、初中毛入学率为103.5%，义务教育普及率高于高收入国家平均水平；高中阶段教育毛入学率为88.3%，高于中高收入国家平均水平；高等教育毛入学率为45.7%，达到中高收入国家平均水平。[①] 职业教育大力发展，开展各类培训上亿人次，为传统产业转型升级、新产业新业态发展壮大提供了有力支撑，我国教育事业在世界上的影响和地位明显提升，已成为名副其实的世界教育大国。

这些成果充分彰显了我国教育的“硬实力”，但教育强国不仅要有“硬实力”的展示，还要靠“软实力”的支撑。所谓“软实力”，就是以教育制度、教育观念、教育文化、师资素养、教育方法、教育质量等为主的内涵式发展。习近平总书记指出，“教育公平是社会公平的重要基础，要不断促进教育发展成果更多更公平惠及全体人民”。[②] 公平与质量，这才是教育发展的核心要义，这才是教育事业全面健康发展的深刻内涵。因此，教育发展要由数量增长、规模扩张转入内涵式发展、以人为本的新阶段，教育发展要向更高层次、更高水平迈进，从“有学上”转向“上好学”，从关注尖子、突出重点到关注全体、注重均衡，从“提高质量”与“促进公平”的各自为政到“提高质量”与“促进公平”的有机统一、两位一体，真正实现硬实力与软实力的齐头并进、内涵式教育的蓬勃发展。

---

① 数据见《2017年全国教育事业发展统计公报》，《中国教育报》2018年7月21日。

② 《习近平在北京市八一学校考察时强调　全面贯彻落实党的教育方针　努力把我国基础教育越办越好》，《人民日报》2016年9月10日。

(五) 办好人民满意的教育

教育是民生之首、兴国之基。近年来，党中央、国务院采取了一系列重大措施加快教育发展，着力改善办学条件、深化教育改革、提高教育质量、推动均衡发展、促进教育公平。比如，实施全面改善贫困地区义务教育薄弱学校办学条件工程、农村义务教育学校教师“特岗计划”、“乡村教师支持计划”、义务教育学校学生营养改善计划、高等教育“985”工程、“双一流”建设、中西部高等学校基础能力提升计划等，这些政策和项目促进了各级各类教育的发展，提高了教育质量，促进了教育公平。但我们还要看到，优质教育资源整体不足、片面追求考试分数和升学率、忽视学生全面发展的现象依然突出，有损师德师风的现象时有发生，人民群众对教育还有很多不满意的地方。虽然各地各校都在着力提高教育质量，但由于不科学的教育发展观或教育政绩观，再加上资源有限，导致区域之间、城乡之间、学校之间的差距进一步拉大。这些都是党的十九大报告中分析的“我国社会主要矛盾已经转化为人民日益增长的美好生活需要和不平衡不充分的发展之间的矛盾”判断的现实体现。[①]

在此背景下，实施教育强国战略，必须抓住并破解这个主要矛盾，将规模与质量、质量与公平统筹考虑，将过程与结果、区域与城乡统筹考虑，满足人民特别是欠发达地区人民对教育事业的期望，加快实现从教育大国向教育强国的转变。

---

① 习近平：《决胜全面建成小康社会 夺取新时代中国特色社会主义伟大胜利——在中国共产党第十九次全国代表大会上的报告》，《人民日报》2017 年 10 月 28 日。

（六）深化教育领域综合改革

坚持全面深化改革，是新时代中国特色社会主义的鲜明特征。作为全局工作的重要内容和支撑，教育领域综合改革必须持续用力、久久为功。习近平总书记在十八届中央政治局第九次集体学习时就深刻指出，要深化教育改革，推进素质教育，创新教育方法，提高人才培养质量。① 因此，一方面要从教育供给侧发力，加大投入扩大优质教育资源；另一方面要科学配置资源以增加优质资源的受益面。当前，尤为关键的是要通过综合改革，树立正确的教育政绩观和科学的教育发展观，尽可能扩大优质教育资源的总量和共享水平。达到这个目标，可以创新运用多种途径，比如由优质学校牵头，建立教育集团和办学联合体，强校带弱校、名校办分校；建立和完善教师、校长轮岗交流的长效机制，让优秀教师和校长自愿交流轮岗，城市教师自愿到农村学校任教任职；改革对学校和校长的评价标准，体现多样化导向，引导学校办出特色，满足学生的个性化教育需求。总而言之，教育改革要符合发展潮流、适应时代特征、满足社会需要，进一步形成有利于创新人才成长的育人环境。

二、教育强国战略的现实意义

在中国特色社会主义进入新时代的大背景下，教育强国战略的提出是顺应人民群众对教育新期盼作出的重大战略部署，是中国特色社会主义制度对教育工作的现实要求，是习近平新时代中国特色社会主

① 《习近平在中共中央政治局第九次集体学习时强调　敏锐把握世界科技创新发展趋势　切实把创新驱动发展战略实施好》，《人民日报》2013 年 10 月 2 日。

义思想在教育工作中的具体体现，是推进我国教育事业改革发展的强大思想武器，对我国教育改革与发展具有重大而深远的意义。

（一）面向世界谋划教育格局，体现了国际胸襟

习近平总书记讲过，教育是人类传承文明和知识、培养年轻一代、创造美好生活的根本途径。[①]建设教育强国的战略谋划，展现了习近平总书记遵循人类社会发展规律，面向世界谋划中国教育改革与发展方向的战略气魄和胸怀。对教育问题的高度重视，体现了习近平总书记将教育放在整个治国理政的总体格局中去把握，放在实现中华民族伟大复兴中国梦、促进人类和平与发展的高度去强调的高瞻远瞩，这是中国领导人向全世界提供中国方案、贡献中国智慧的生动表现。当前世界多极化、经济全球化、社会信息化、文化多样化深入发展，和平发展的大势依然强劲，变革创新的步伐继续向前。对此习近平总书记强调，教育应该促进各国学生确立为人类和平与发展贡献智慧和力量的远大志向。[②]这充分证明，我们党对教育战略地位的认识达到了一个新的高度，为巩固和发展中国特色社会主义教育事业奠定了重要的理论基础和思想前提。

（二）面向教育改革谋划发展方向，突出了问题导向

习近平总书记指出，我们“要有强烈的问题意识，以重大问题

① 《习近平主席在联合国“教育第一”全球倡议行动一周年纪念活动上发表视频贺词》，《人民日报》2013 年 9 月 27 日。

② 参见《清华大学苏世民学者项目启动仪式在京举行》，《人民日报》2013 年 4 月 22 日。

为导向，抓住关键问题进一步研究思考，着力推动解决我国发展面临的一系列突出矛盾和问题。我们中国共产党人干革命、搞建设、抓改革，从来都是为了解决中国的现实问题”。[①] 直面矛盾、在矛盾中前进，是我们党的鲜明特征。近年来，我国的教育事业始终坚持问题导向，在很多方面都取得了长足进展，教育总体质量在不断提高，公平性在不断完善。但矛盾仍然存在，人民日益增长的教育需求和教育不均衡不充分的发展之间的矛盾尚未解决，质量和公平是当前我国教育改革发展中的主要问题。针对满足人民群众多样化教育需求，着力解决“择校热”、“大班额”，缩小地区差距、城乡差距、校际差距甚至班级差距等问题，中央提出的发展“优质公平教育”，正是坚持了问题导向，积极回应了当前教育发展存在的现实问题，更进一步为教育强国注入了勇于革新、永不停滞的鲜活力量。

（三）面向群众获得感谋划着力重点，展示了为民情怀

习近平总书记多次强调：“人民对美好生活的向往，就是我们的奋斗目标。”[②] 这份向往包括优质的教育资源、公平的教育机会。努力让每个孩子都能享有公平而有质量的教育，这是我们党的庄严承诺，是必须扛起来、完成好的政治使命。教育强国战略，是从受教育者的立场出发、从人民群众获得感和幸福感的立场出发，是民之所盼、是

① 习近平：《关于〈中共中央关于全面深化改革若干重大问题的决定〉的说明》，《人民日报》2013 年 11 月 16 日。

② 最早见于习近平总书记在十八届中共中央政治局常委同中外记者首次见面时的讲话，参见《习近平在十八届中共中央政治局常委同中外记者见面时强调 人民对美好生活的向往就是我们的奋斗目标》，《人民日报》2012 年 11 月 16 日。

民生大计，必然着眼于提高教育质量，办好优质公平的教育，体现为民情怀和人民立场。教育强国战略，最终是要让人民群众享受改革成果，享受优质公平的教育，让学生、家长、教师和学校都有实实在在的获得感，满足人民群众的期待和愿望。

三、建设教育强国的推进路径

从党的十八大到党的十九大的胜利召开，习近平总书记始终立足党和国家全局工作，站在坚持和发展中国特色社会主义、实现中华民族伟大复兴中国梦的高度，紧紧围绕“培养什么人、怎样培养人、为谁培养人”这个根本问题，对教育的战略地位、根本任务、发展方向、队伍建设、发展动力等作了深入全面系统的论述，形成了习近平新时代中国特色社会主义思想的“教育篇”，开辟了教育事业发展的崭新华章，是我们建设教育强国的思想灯塔和指南针。

（一）坚持教育的战略地位，“始终把教育摆在优先发展的战略地位”

党的十九大报告中，习近平总书记在“提高保障和改善民生水平，加强和创新社会治理”章节里首先强调的就是教育，明确提出“优先发展教育事业”。① 回顾过往，习近平总书记历来高度重视教育工作，在当选十八届中共中央总书记后的中外记者见面会上，就把“更好的教育”放在人民对美好生活的十大期盼之首提出，五年多来多次强调

① 习近平：《决胜全面建成小康社会 夺取新时代中国特色社会主义伟大胜利——在中国共产党第十九次全国代表大会上的报告》，《人民日报》2017 年 10 月 28 日。

教育发展的重要意义。在联合国“教育第一”全球倡议行动一周年纪念活动上，习近平主席发表贺词指出，中国将坚定实施科教兴国战略，始终把教育摆在优先发展的战略位置。①

这些论述都是一脉相承的，充分体现了教育对我国发展的深远战略意义——必须把教育摆在首要、优先发展的位置予以重视和坚持。具体实践中，就是要集中资金资源、人力物力、政策项目，努力发展全民教育、终身教育，建设学习型社会，努力让每个孩子享有受教育的机会。特别是要紧盯“公平”二字，把更多的精力投入到贫困落后地区和弱势群体，优先改善贫困地区义务教育薄弱学校基本办学条件，尽快健全覆盖各级各类教育的家庭经济困难学生资助体系，逐步建立进城务工人员随迁子女就学保障和农村留守儿童关爱服务体系等，以实际举措把教育的优先性、重要性真正体现出来。

（二）坚持根本任务不动摇，“承担好立德树人、教书育人的神圣职责”

教育的根本问题是培养什么人、怎样培养人、为谁培养人。对此，习近平总书记在致全国青联十二届全委会的贺信中就提出了“志存高远、德才并重、情理兼修、勇于开拓”十六字方针，②并在多个场合反复强调，要坚持把立德树人作为中心环节，把思想政治工作贯穿教育教学全过程，做到为人民服务、为中国共产党治国理政服务、为巩固

① 《习近平主席在联合国“教育第一”全球倡议行动一周年纪念活动上发表视频贺词》，《人民日报》2013 年 9 月 27 日。

② 《习近平致全国青联十二届全委会和全国学联二十六大的贺信》，《人民日报》2015 年 7 月 25 日。

和发展中国特色社会主义制度服务、为改革开放和社会主义现代化建设服务这“四个服务”，进一步实现全过程育人、全方位育人。

国无德不兴，人无德不立，理想信念就是“德”的根基。习近平总书记指出，“让每个青少年都为实现中国梦增添强大青春能量。要用中国梦打牢广大青少年的共同思想基础”，“要用中国梦激发广大青少年的历史责任感”，“要积极为广大青少年实现梦想提供服务”。[①]

信念教育的一个重要内容和载体就是社会主义核心价值观，它承载着一个民族、一个国家的精神追求，体现着一个社会评判是非曲直的价值标准，反映全国各族人民价值认同的最大公约数。教育工作要把培育和弘扬社会主义核心价值观作为凝魂聚气、强基固本的基础工程，深入开展理想信念教育、爱国主义教育、中华优秀传统文化教育和革命传统教育。同时，还要将法治教育纳入国民教育体系，促进青少年德法兼修；将加强劳动教育作为必修内容，锤炼意志品质；将艺术教育普及于课堂，培养学生美丽心灵，使青少年群体充满正能量。树立社会主义核心价值观必须出于实践，知行合一、学用相长则是最终目标和现实意义。我们要引导和鼓励青少年按照习近平总书记要求的那样做，一是要勤学，下得苦功夫，求得真学问；二是要修德，加强道德修养，注重道德实践；三是要明辨，善于明辨是非，善于决断选择；四是要笃实，扎扎实实干事，踏踏实实做人。[②]要从自己做起、从身边做起、从小事做起，一点一滴积累，养成好思想、好品德，成为合格的社会主义建设者和接班人。

---

① 习近平：《在同各界优秀青年代表座谈时的讲话》，《人民日报》2013 年 5 月 5 日。

② 习近平：《青年要自觉践行社会主义核心价值观——在北京大学师生座谈会上的讲话》，《人民日报》2014 年 5 月 5 日。

（三）明确发展方向，“发展具有中国特色、世界水平的现代教育”

习近平总书记在第二十九个教师节慰问信中，勉励全国广大教师“为发展具有中国特色、世界水平的现代教育作出贡献”。[①] 这份对广大教师满怀深情的期望，更加深刻地体现了习近平总书记对教育事业发展的期望。建设具有中国特色、世界水平的现代教育，是对我国教育发展方向、发展目标的高度概括，是中国特色社会主义迈入新时代要完成的新历史使命。完成这一任务，需要教育事业特别是高等教育蓬勃发展、竞相迸放。时代越是向前，知识和人才的重要性就愈发突出，教育的地位和作用就愈发凸显。为此，习近平总书记明确提出了“建设世界一流大学”、“办好中国的世界一流大学”[②]、“办好中国特色社会主义大学”[③] 的战略任务，强调以此提升我国高等教育综合实力和国家的核心竞争力。如何建设具有中国特色的现代教育？就是要充分把握和运用我国独特的历史、独特的文化、独特的国情，着眼于奋力实现“两个一百年”奋斗目标、实现中华民族伟大复兴中国梦，传承好中华文化血脉，践行好中国特色道路，服务好广大的人民和国家的发展。如何打造世界水平的现代教育？就是把人才竞争作为提高国家综合竞争力，推动经济社会发展的战略性、基础性、先导性、全局性资源，不断加强同世界各国的教育交流、扩大教育对外开放，不断

---

① 《习近平向全国广大教师致慰问信》，《人民日报》2013 年 9 月 10 日。

② 习近平：《青年要自觉践行社会主义核心价值观——在北京大学师生座谈会上的讲话》，《人民日报》2014 年 5 月 5 日。

③ 《习近平在全国高校思想政治工作会议上强调　把思想政治工作贯穿教育教学全过程　开创我国高等教育事业发展新局面》，《人民日报》2016 年 12 月 9 日。

引进人才、培育人才、挖掘人才、储备人才，提高中国人才队伍在国际各领域中的竞争能力，完成从教育大国向教育强国、人才强国的转变。

（四）重视队伍建设保障，“教师是立教之本、兴教之源”

教育大计，教师为本。习近平总书记非常重视教师作用、重视教师队伍建设，他指出，“教师是立教之本、兴教之源，承担着让每个孩子健康成长、办好人民满意教育的重任”。① 可以说，教师是在为国家和民族培育未来，也影响着未来。实践中，一方面要着力端正教师队伍的价值取向。传道者自己先要明道信道，而后布道传道。习近平总书记勉励教师要努力做到“三个牢固树立”，即牢固树立中国特色社会主义理想信念，牢固树立终身学习理念，牢固树立改革创新意识。教育工作者要切实落实好习近平总书记提出的“好老师”四条标准，不断坚定理想信念，不断锻炼道德情操，不断提高学识水平，不断增强仁爱之心，持之以恒地做学生锤炼品格的引路人、做学生学习知识的引路人、做学生创新思维的引路人、做学生奉献祖国的引路人。另一方面要着力提高教师队伍整体素质。以习近平总书记 2014 年教师节前夕在北京师范大学的讲话为指导思想，以“四有”好老师为目标和方向，在严把教师入口关的基础上，通过在职培训、专题研修、教学研究、远程教育、送教下乡、观摩示范等多种形式，不断提高教师特别是贫困落后地区教师的业务能力，增强教师队伍的战斗力。

① 《习近平向全国广大教师致慰问信》，《人民日报》2013 年 9 月 10 日。

（五）重视发展动力，“大力推动教育改革发展”

在深入系统分析我国教育发展现状的基础上，习近平总书记指出，“继续大力推动教育改革发展，使我国教育越办越好、越办越强”。① 这充分说明，要解决教育领域存在的问题，必须用改革的办法，大刀阔斧，蹄疾步稳地推进下去，以改革推动发展。

教育改革要以考试招生制度为切入口。习近平总书记指出，必须通过深化改革，促进教育公平、提高人才选拔水平。② 其中一个重要方面，就是深化考试招生制度改革。要建立分类考试、综合评价、多元录取的考试招生模式，健全促进公平、科学选才、监督有力的体制机制，构建衔接沟通各级各类教育、认可多种学习成果的终身学习立交桥，实现个体的德智体美全面发展。

教育改革要着眼于解决短板问题。当前就是要盯住贫困地区、扭住教育脱贫持续用力。习近平总书记明确要求，要推进教育精准脱贫，重点帮助贫困人口子女接受教育，阻断贫困代际传递，让每一个孩子都对自己有信心、对未来有希望。③ 各级教育部门要集中资源用在“刀刃上”，把投入向民族地区、边疆地区倾斜，加快民族地区义务教育学校标准化和寄宿制学校建设，实行免费中等职业教育，办好民族地区高等教育，搞好双语教育，着力改善农村留守儿童接受义务教育状况。要培养有文化、懂技术、会经营的新型农民，加大农业职

① 习近平：《做党和人民满意的好老师——同北京师范大学师生代表座谈时的讲话》，《人民日报》2014 年 9 月 10 日。

② 《习近平主持召开中央全面深化改革领导小组第四次会议强调 共同为改革想招一起为改革发力 群策群力把各项改革工作抓到位》，《人民日报》2014 年 8 月 19 日。

③ 《习近平在北京市八一学校考察时强调 全面贯彻落实党的教育方针 努力把我国基础教育越办越好》，《人民日报》2016 年 9 月 10 日。

业教育和技术培训力度，把培养青年农民纳入国家实用人才培养计划。通过一系列有针对性的改革举措，不断提高贫困地区教育质量，阻断贫困的代际传递，实现东西部地区之间、城乡之间的教育公平与平衡发展。

教育改革要借助信息化建设实现弯道超车。习近平总书记指出："通过教育信息化，逐步缩小区域、城乡数字差距，大力促进教育公平，让亿万孩子同在蓝天下共享优质教育、通过知识改变命运。"[①] 我们要按照习近平总书记的要求，加快构建网络化、数字化、个性化、终身化的教育体系，实现信息技术与教育的深度融合，建设"人人皆学、处处能学、时时可学"的学习型社会，特别是要把西部地区、农村学校作为教育信息化改革的优先领域，优先配置、优先探索、优先使用，尽快实现追赶和超越，真正汇聚社会各方面的智慧与力量，为实现教育强国的宏伟战略，为实现"两个一百年"奋斗目标和中华民族伟大复兴的中国梦提供坚实有力的保障。

① 《习近平致国际教育信息化大会的贺信》，《人民日报》2015 年 5 月 24 日。

第十二章

办好人民满意的教育

改革要从群众最期盼的领域改起，从制约经济社会发展最突出的问题改起，让全社会感受到改革带来的实实在在的成果，最大限度凝聚改革正能量。

——习近平总书记在党外人士座谈会上的讲话

党的十九大报告通篇贯彻以人民为中心的发展思想，用“教育事业全面发展，中西部教育和农村教育明显加强”高度概括了五年来教育工作取得的重大成就，指出了新时代社会主要矛盾的新变化，将党的十八大报告提出的“努力办好让人民满意的教育”提高到“办好人民满意的教育”的新目标，着力解决好教育发展不平衡不充分的新问题，让13亿人民享有更好更公平的教育，明确了教育工作的新使命。

一、充分认识办好人民满意教育的时代意义

（一）办好人民满意的教育是为人民服务的重要内容

为人民服务是党的根本宗旨，党的一切奋斗和工作都是为了造福人民。早在1944年抗日战争时期，毛泽东同志在纪念张思德追悼会上发表了著名的演讲《为人民服务》，通过赞扬张思德那种为人民而生、为人民利益而死的共产主义精神，阐述了为什么要为人民服务和怎样为人民服务的问题。在改革开放初期，邓小平同志提出以人民拥护不拥护、赞成不赞成、高兴不高兴、答应不答应作为衡量为人民服务的标准，深刻道出人民群众在共产党人心中的位置。以江泽民同志为核心的中央领导集体在领导中国特色社会主义现代化建设进程

中，明确提出了“立党为公、执政为民”的重要理念。党的十六大以来，以胡锦涛同志为总书记的党中央明确提出了科学发展观，强调发展为了人民、发展依靠人民、发展成果由人民共享的重要思想，始终把实现好、维护好、发展好最广大人民的根本利益作为党和国家一切工作的出发点和落脚点。党的十八大以来，以习近平同志为核心的党中央继承和发展了为人民服务思想，明确提出中国共产党人的初心和使命，就是坚持以人民为中心，为中国人民谋幸福，为中华民族谋复兴，永远把人民对美好生活的向往作为奋斗目标。

教育是民生之首，关系亿万人民群众的切身利益、根本利益、长远利益，是为人民服务的重要内容。党的十六大报告将“为人民服务”写入党的教育方针，强调“坚持教育为社会主义现代化建设服务”与“为人民服务”并重，[①] 既指出了教育改革的根本宗旨和发展方向，也对教育工作提出了明确要求，符合教育工作的实际。党的十七大报告首次把教育列入保障和改善民生的重要内容，提出“办好人民满意的教育”的要求。[②] 党的十八报告把十七大报告提出的“办好人民满意的教育”调整为“努力办好人民满意的教育”，[③] 是实事求是、量力而行的重要体现。在社会转型期，人民对教育的期盼和要求越来越高，人民日益增长的教育需求和教育资源供给之间还是存在很大差距的，增加“努力”二字，不是降低要求，而是更加务实。党的十九大报

① 江泽民：《全面建设小康社会，开创中国特色社会主义事业新局面——在中国共产党第十六次全国代表大会上的报告》，《人民日报》2002 年 11 月 18 日。

② 胡锦涛：《高举中国特色社会主义伟大旗帜 为夺取全面建设小康社会新胜利而奋斗——在中国共产党第十七次全国代表大会上的报告》，《人民日报》2007 年 10 月 25 日。

③ 胡锦涛：《坚定不移沿着中国特色社会主义道路前进 为全面建成小康社会而奋斗——在中国共产党第十八次全国代表大会上的报告》，《人民日报》2012 年 11 月 18 日。

告首次提出建设教育强国是中华民族伟大复兴的基础工程，再次明确要“办好人民满意的教育”，这种自信和决心来自我国经济保持高速增长，在世界主要国家中名列前茅，对世界经济增长贡献率超过30%；来自 GDP 总量从 2007 年的 3.55 万亿美元（世界第三位）增长到 2016 年的 11.2 万亿美元（稳居世界第二位），世界 GDP 总量占比由 5.99%上升到 14.84%；来自人均 GDP 从 2007 年的 2652 美元（世界第 104 位）增长到 2016 年的 8865 美元排名（世界第 69 位）。中国已经由低收入国家跃升到中上等收入国家，综合国力前所未有地走近世界舞台中央，提出这个目标是实事求是、尽力而为的重要体现。

（二）办好人民满意教育是教育本质的回归

教育的本质是育人成才，教育工作要回归这个常识、回归这个本分、回归这个初心、回归这个梦想。坚持以人民为中心、办好人民满意的教育是社会主义教育的本质要求，为人民办教育、为人民培养人才，依靠人民办教育、依靠人民发展教育，是中国特色社会主义教育的根本方向。习近平总书记多次指出，教育的根本任务是立德树人，把教育为人民服务列为“四个服务”之首，培养社会主义事业的可靠接班人和合格建设者，明确回答了新形势下教育培养什么人、怎样培养人、为谁培养人这个根本问题。习近平主席在联合国“教育第一”全球倡议行动一周年纪念活动上发表的视频贺词中指出，始终把教育摆在优先发展的战略位置，不断扩大投入，努力发展全民教育、终身教育，建设学习型社会，努力让每个孩子享有受教育的机会，努力让 13 亿人民享有更好更公平的教育，获得发展自身、奉献社会、造福人民的能力。[①]彰显了鲜明的人民立场，蕴含着深厚的人民情怀，充分体现了我们党全心全意为人民服务的根本宗旨。

（三）办好人民满意教育是人民对美好生活的期盼

教育是人民群众的精神需求，是实现自我价值和自我超越的需求，主要表现在三个方面：一是基本需求，为人民群众提供公平的受教育机会，满足人民群众对接受基本教育的期望，切实解决人民群众极为关注的人人"有学上"的问题，这是人民最基本的教育需要，也是经济社会发展的客观要求。二是高质量需求，促进人的全面发展，满足人民群众多样化需要，实现社会全面进步，都对教育发展提出了新的更高层次的要求，推动教育在更高的起点上实现更大的发展，解决人民群众极为关注的人人"上好学"的问题。三是多样化需求，为每个学习者提供适合的教育，满足不同社会阶层的多元教育需求，满足所有人的各种不同需要，解决社会成员"选学"上的问题。习近平总书记始终强调，人民对美好生活的向往就是党的奋斗目标，他在党的十八届中央政治局常委同中外记者见面会上指出："我们的人民热爱生活，期盼有更好的教育、更稳定的工作、更满意的收入、更可靠的社会保障、更高水平的医疗卫生服务、更舒适的居住条件、更优美的环境，期盼孩子们能成长得更好、工作得更好、生活得更好。"[②]这10个"更"是中国梦最贴近人民生活实际的诠释，是党的全心全意

---

① 《习近平主席在联合国"教育第一"全球倡议行动一周年纪念活动上发表视频贺词》，《人民日报》2013年9月27日。

② 《习近平在十八届中共中央政治局常委同中外记者见面时强调　人民对美好生活的向往就是我们的奋斗目标》，《人民日报》2012年11月16日。

为人民服务宗旨的具体体现，也是人民群众对于幸福生活的新期待。10个“更”中，教育居首，引人注目，发人深思。改革开放以来特别是党的十八大以来，教育改革发展取得了显著成就，人民群众“有学上”的基本需求已转化为“上好学”的更高要求和“个性化”的多样化多层次多方面需求，这种变化也印证了党的十九大作出的我国社会主要矛盾已经转化的重大形势判断。教育要主动适应新时代人民的新要求，着力解决好教育发展的不平衡不充分问题，不仅要让每个孩子都能享有公平而有质量的教育，还要使绝大多数城乡新增劳动力接受高中阶段教育，更多接受高等教育，更好地推动人的全面发展和社会全面进步。

（四）办好人民满意的教育是教育改革发展的动力

人民有所呼，改革有所应。习近平总书记指出，改革要从群众最期盼的领域改起，从制约经济社会发展最突出的问题改起，让全社会感受到改革带来的实实在在的成果，最大限度凝聚改革正能量。① 经过多年努力，尤其是最近五年来教育发展迅速，超出经济发展水平，教育发展总体水平进入世界中上行列，但与世界发达国家先进水平相比仍存在明显差距，区域间、城乡间、校际发展还不平衡，各级各类教育发展也不充分，导致不同群体间受教育机会存在一定差距。随着人口结构变化和技术变革加速，教育水平的差距还有可能拉大，改革需求迫切。国外媒体曾热炒斯坦福大学经济学家斯科特·罗泽尔对中国教育的研究发现，罗泽尔认为2010年中国受过高中教育的劳动者

① 《中共中央召开党外人士座谈会》，《人民日报》2013年12月4日。

比例为 24%，大大低于经合组织国家的平均水平 74%，在中等收入国家中排名也很低，不可能维持一个先进的、以服务业为基础的经济体，估计在未来数十年内，大约有 4 亿人技能准备不足，大多数甚至缺少在高收入经济体中所需的最基本技能，因此判断教育失衡已成中国“隐形危机”。尽管有点危言耸听，但也并非空穴来风。我们需要加快教育现代化步伐，推动城乡义务教育一体化，改变村空乡弱城挤现象，发展普惠性学前教育，解决入园难入园贵问题，振兴中西部教育，优化课程体系，改进教学模式，培养学生创新创业能力，确保每个学生人生出彩，成长为有用之才。

二、正确理解办好人民满意教育的科学内涵

办好人民满意的教育，是马克思主义群众学说与中国具体实践相结合的时代要求，集中体现了教育以人为本的核心理念，体现了教育为人民服务的崇高宗旨，反映了新时代中国特色社会主义对教育的现实需要。

（一）办好人民满意的教育是增强人民安全感、获得感、幸福感的过程

增强安全感，是要把学校建成最安全、学生最快乐、家长最放心的公共场所，落实安全第一，保障生命安全。增强获得感，党的十九大报告在以往“学有所教”基础上增加了“幼有所育”目标，要求办好学前教育、特殊教育、网络教育、继续教育，直击教育体系的短板和弱项，使绝大多数城乡新增劳动力接受高中阶段教育，更多接受高

等教育，是送给全国人民的“大红包”。增强幸福感，要求在教育过程中全面贯彻党的教育方针，发展素质教育，推进教育公平，促进学生德智体美全面发展，健康快乐成长。这“三感”既是判断我们教育改革成功与否的根本标准、衡量我们工作成效的根本标准、检验我们工作作风的根本标准，也是教育工作者荣誉感、幸福感提升的过程。要以增强人民群众安全感、获得感、幸福感为根本标准，确保教育改革改有所进、改有所成。

（二）办好人民满意的教育是把握群众主流意见的过程

人民满意是对教育工作的主观评价，并取决于欲望满足程度，不能只停留在抽象理念和口号上，要变得可测量、可评价、可操作，使用科学的教育满意度测评工具，把群众主观感觉客观化、分散意见集中化、定性评价定量化。中国教育科学研究院等机构开展的长期调查表明，群众对教育服务的总体满意度保持在 70 分左右，属于基本满意范围，其中对基础教育满意度高于高等教育和职业教育，东部地区群众满意度高于中西部地区，城市群众满意度高于农村，学生满意度高于教师，教育外部满意度高于教育内部，这对教育工作既是鼓舞也是鞭策。

（三）办好人民满意的教育是缩小群体间差距的过程

满意是比较出来的，人们对教育的满意度很大程度上取决于比较维度。我国教育发展水平虽已进入世界中上行列，但与世界教育强国还有明显差距。从教育投入看，国家财政性教育经费占 GDP 比例自 2012 年基本保持在 4%以上，2016 年首次超 3 万亿元，达 3.14

万亿元，2017 年达 3.42 万亿元，[①] 但与世界平均水平 5%尚有差距，投入不足很难吸引优秀人才长期从教、让好教师不断涌现，很难持续支撑教育强国建设，很难不断提高人民对教育的满意度。从教育阶段看，2017 年小学净入学率达到 99.1%，初中阶段毛入学率达到 103.5%，义务教育普及程度超过高收入国家平均水平；高等教育毛入学率达到 45.7%，超过中高收入国家平均水平。但学前教育 3 年毛入园率 79.6%、九年义务教育巩固率 93.8%，高中阶段教育毛入学率 88.3%，相较之下仍有差距。[②] 从区域看，东中西部教育存在较大差距，尤其是在非义务教育领域，普及程度和质量水平差距比较明显。从重点高校分布状况看，有 14 个省份（含新疆生产建设兵团）尚无部属院校，大多数是中西部地区，中西部高校进入“双一流”的竞争力还比较弱，高考录取率最低省份与全国平均水平存在 4 个百分点的差距。从城乡看，城乡教育一体化在办学条件和标准方面趋于一致，但教育质量差距依然存在。因此要承认差距，努力缩小差距，克服“马太效应”。

（四）办好人民满意的教育是掌握教育需求循序渐进节奏的过程

依据需要层次理论，人的需要是一个由低到高、逐级形成并逐级得到满足的动态发展过程。在教育领域明显反映为“有学上”到“上好学”再到“能就业（创业）”的需求，反映普及、公平、质量、效益的不同发展阶段的变化，这就要求教育供给方从保障人民受教育机

---

① 参见《孩子们上学更舒心了》，《人民日报》2017 年 10 月 2 日；《国家财政性教育经费占 GDP 比例连续 6 年超 4%》，《中国教育报》2018 年 10 月 16 日。

② 参见《2017 年全国教育事业发展统计公报》，《中国教育报》2018 年 7 月 21 日。

会的“一个不能少”，到保障教育过程的“为每个孩子提供适合的教育”，再到保障教育结果的“让每个孩子都能成为有用之才”。

（五）办好人民满意的教育是实现需求侧和供给侧动态平衡的过程

既要积极适应人民群众教育需求侧的动态变化，扎根中国大地办好教育，还要主动提供新的教育理念、教育技术、教育方法、教育制度，为走向世界和面向未来培养人才，办出世界水平的现代化教育，合理引导群众预期，引领社会发展。

（六）办好人民满意的教育是建设现代化教育强国的社会基础

办好人民满意的教育，是深入贯彻以人民为中心的发展思想的具体体现。只有办好人民满意的教育，才能为实现中华民族伟大复兴的中国梦提供源源不断的智力支持，才能为建设现代化强国提供坚实基础。

三、深化教育改革加快教育现代化办好人民满意的教育

当前，我国教育事业的发展已经进入了全面提高质量、让孩子们“上好学”和建设教育强国的新阶段。在社会旺盛需求与优质教育资源供给之间的矛盾日益突出的情况下，教育如何适应新时期、新阶段教育发展的多样化、大众化，满足社会不同人群的不同需求，满足人民群众的新期待，是新形势下中国教育面临的新课题。

（一）深刻把握新时代有利环境和条件

新时代为办好人民满意的教育提供了良好的历史机遇，习近平新时代中国特色社会主义思想为办好人民满意的教育提供了强大的思想武器，社会主义现代化强国新战略为办好人民满意的教育提供了行动指南。我们要以习近平新时代中国特色社会主义思想为指导，深化改革，全面开放，加大投入，将使人民受益作为最基本的教育政策价值取向，把为人民提供充足的受教育机会作为基本措施，把教育资源的合理配置作为政策的战略重点。

（二）牢固树立育人为本的教育发展观

教育发展要充分体现人民的新期盼，必须坚持人民至上的理念，不断满足人民群众的新期待。要深化教育改革，不断满足人民群众日益增长的教育需要。既要满足人民群众当前的教育需要，又要引导人民群众对教育的现实的、正确的、合理的需求，满足人民群众的长远需要，兼顾国家整体利益与人民群众的长远利益。坚持教育为人民服务的宗旨，着力解决人民最关心、最直接、最现实的利益问题。通过发展教育，大力促进教育公平，保障人民享有接受良好教育的机会，既满足人民日益增长的接受优质教育的需求，也满足人民选择教育的需要，办出适应不同学生个性发展需要的教育。坚持以终身学习理念引领教育改革，为人一生的学习发展奠定基础。构建灵活开放的终身教育体系，搭建终身教育的“立交桥”，为人的发展提供全面、长久与强劲的发展能力，为建设全民学习、终身学习的学习型社会奠定坚实基础。

（三）坚持内涵发展加快教育由量的增长向质的提升转变

始终坚持以学习者为中心，为不同层次、不同类型的受教育者提供个性化、多样化、高质量的教育服务，促进学习者主动学习、释放潜能、全面发展；始终坚持协同育人，推进学校教育、社会教育、家庭教育有机融合，深化校企合作、产教融合，努力把社会资源转化为育人资源；始终坚持学习型社会建设，创造人人可学、时时可学、处处可学的环境，让学习成为一种生存需要和生活方式；始终坚持推进教育治理体系和治理能力现代化，构建全社会共同参与建设、共同参与治理、共同分享成果的教育发展新格局。

（四）以信息化全面推动教育现代化

推进教育信息化，让农村、边远、贫困和民族地区的孩子们共享优质教育资源，缩小区域、城乡、校际差距。提高教师运用信息技术的能力，创新教育理念和教学模式，提高人才培养质量。把握“互联网+”潮流，发展人工智能教育，开放共享教育资源，降低知识分享门槛，为创客、众创等创新活动提供有力支持，为全民学习、终身学习提供教育公共服务。

（五）以扩大开放促进教育现代化

“请进来”与“走出去”并重，提升国际交流与合作质量，提升留学工作的质量和水平，成为世界前列的留学生源国和国际学生流动目的地国，有效拓展双边多边教育合作的广度和深度，开展“一带一路”沿线国家教育合作，大幅提升参与教育领域国际规则制定能力，显著提高教育对外开放规范化、法治化水平，更好地满足人民群众多样化、高质量的教育需求，更好地服务经济社会发展全局。

教育发展代表了最广大人民的根本利益，其核心是实现人的全面发展，目标是让人人获得最大福祉，让社会得到进步。教育发展必须不断满足人民群众日益增长的教育需要，特别是要满足人民群众渴望子女接受优质特色教育的需要。办好人民满意的教育，在于办好每一所学校，上好每一节课，教好每一位学生，让教育发展的成果惠及全体人民。2035 年将总体实现教育现代化宏伟目标，教育总体发展水平达到发达国家平均水平，面向人人提供更加公平、优质、多样的教育，实现 13 亿人民享有更好更公平教育的梦想。

第十三章

推进教育公平

教育公平是社会公平的重要基础，要不断促进教育发展成果更多更公平惠及全体人民，以教育公平促进社会公平正义。

——习近平总书记在北京市八一学校考察时的讲话

教育公平是社会公平的重要基础，是维系社会公平正义的坚实基石。党的十八大以来，以习近平同志为核心的党中央高度重视教育公平问题，明确提出要不断促进教育发展成果更多更公平惠及全体人民，以教育公平促进社会公平正义。习近平总书记在党的十九大报告中明确提出："要全面贯彻党的教育方针，落实立德树人根本任务，发展素质教育，推进教育公平，培养德智体美全面发展的社会主义建设者和接班人。"①

习近平总书记关于教育公平的一系列重要论述，是习近平总书记关于教育的重要论述的重要组成部分，也是其核心内容，是我们在新形势下做好教育工作的重要指南。深入学习习近平总书记关于教育公平的重要论述，深刻领会其重要意义和精神实质，对于我们办好让人民满意的教育，让每个人都有人生出彩的机会，实现中华民族伟大复兴中国梦，具有重要的理论意义和实践意义。

一、教育公平是社会公平的重要基础

2013 年 9 月，习近平主席在联合国"教育第一"全球倡议行动

① 习近平：《决胜全面建成小康社会　夺取新时代中国特色社会主义伟大胜利——在中国共产党第十九次全国代表大会上的报告》，《人民日报》2017 年 10 月 28 日。

一周年纪念活动视频讲话中向世人宣告，努力让13亿人民享有更好更公平的教育。[①]2016年9月，习近平总书记在考察北京市八一学校时，站在实现人类社会公平正义的历史高度，明确提出了“以教育公平促进社会公平正义”的重要论断。[②]这一论断，深刻论述了教育公平对促进社会公平正义的重要意义，为教育工作指明了奋斗目标和正确方向。

习近平总书记在党的十九大报告中指出：“努力让每个孩子都能享有公平而有质量的教育。”[③]这句话道出了每个父母的心声和梦想。这是以习近平同志为核心的党中央坚持“以人民为中心”的发展思想，谋划教育事业改革发展的生动体现。“公平而有质量”六个字，重如千钧，清晰指明了中国未来教育发展的着力点。

教育公平通常指每个社会成员都享有同等的教育权利与教育机会，享有同等的教育资源，享有同等的教育质量，享有同等的就业机会，并向社会弱势群体给予一定的倾斜。教育公平包括机会公平、过程公平和结果公平。从本质上看，教育的机会公平属于起点公平；过程公平强调整个过程中教育制度或安排要平等对待每一位儿童，以消除外部经济障碍和社会障碍对儿童学业的影响；结果公平则通过向儿童提供使个人的天赋得以发展的各种机会，使不同社会出身的儿童获得进步，进而获得平等的教育效果。

---

① 《习近平主席在联合国“教育第一”全球倡议行动一周年纪念活动上发表视频贺词》，《人民日报》2013年9月27日。

② 《习近平在北京市八一学校考察时强调　全面贯彻落实党的教育方针　努力把我国基础教育越办越好》，《人民日报》2016年9月10日。

③ 习近平：《决胜全面建成小康社会　夺取新时代中国特色社会主义伟大胜利——在中国共产党第十九次全国代表大会上的报告》，《人民日报》2017年10月28日。

教育公平属于社会公平的范畴，而社会公平历来是人们追求的理想。教育公平的实现，直接关系到社会公平的实现。社会公平包括政治公平、经济公平、文化公平、教育公平等，是一个综合性的概念。在社会公平中，教育公平无疑具有十分重要的地位。从某种意义上说，它既是社会公平的重要基础，又是社会公平的核心环节。

随着教育改革的不断深化，我国教育事业取得了举世瞩目的成就。国民受教育程度和科学文化素质大幅度提高，这不仅为社会主义现代化建设战略目标的实现提供了有力的人才支持和智力保障，也为我国教育的进一步发展奠定了坚实基础。从总体上看，中国教育发展面临的主要矛盾已经发生重要变化，人民日益增长的更高水平、更高质量和更加多样的教育需求与不平衡不充分的教育发展之间的矛盾，已经成为教育面临的主要矛盾。“人人上好学”，是当前人民群众对教育公平的强烈呼声。随着人民群众文化素质的不断提高、平等意识的逐渐增强和参政议政热情的日益高涨，教育公平问题成为全社会普遍关注的焦点。

历史经验表明，在整个社会向市场经济转型的过程中，教育公平是不能完全通过市场机制实现的，政府应该发挥自己应有的作用。政府应当制定相关政策，采取有力措施，确保教育均衡发展，提供更多的优质教育资源。

习近平总书记对如何发挥好政府作用，推进教育公平十分重视。政府也由此把促进教育公平作为国家的基本教育政策，努力保障人民群众享有接受良好教育的机会，促进社会公平正义的实现。

义务教育均衡发展决定着教育起点公平的实现，也影响着更高层次教育公平的实现。世界各国都把义务教育当作公民的基本权利，通过颁布政策法律对经费予以保障。各国政府都把实行免费义务教育、保障义务教育公平当作首要责任。通过国际教育比较研究可以看出，凡是教育公平成就突出的国家，都优先保障义务教育的均衡发展。免费义务教育可以消除因地区经济发展水平、家庭经济条件、父母社会地位等因素对儿童受教育权所造成的不利影响，最大限度地保障所有儿童平等的受教育权。

关注弱势群体的教育权利也是政府的重要职责。只有保障弱势群体的教育权益，才能实现全面的教育公平。来自经济落后地区和低收入家庭子女、少数民族子女、移民子女、有特殊需要的儿童、女童都是受教育者中的弱势群体，保障他们的受教育权和受教育机会才是真正实现教育公平的根本所在。实行免费义务教育和向弱势群体倾斜的政策，是保障弱势群体受教育权益的基本措施。

当然，我们也应看到，教育公平是现代教育发展的基本原则，是人们为之不断努力奋斗的目标。由于教育事业本身具有长期性、迟效性和滞后性，教育公平的实现不可能一蹴而就。如何满足人民群众日益高涨的对于接受优质教育的迫切需求，进而全面实现教育公平，不仅是教育系统的一项长期、艰巨而光荣的任务，而且也是对党和政府执政能力的严峻考验。政府应该遵循最大限度地发挥资源优势的原则，大力推进教育公平，真正履行好教育公平“第一责任人”的职责。

二、办好基础教育是促进教育公平的重要内容

习近平总书记在北京市八一学校考察时强调，基础教育在国民教育体系中处于基础性、先导性地位，要加强对基础教育的支持力度，

办好学前教育，均衡发展九年义务教育，基本普及高中阶段教育。[①]指出了基础教育在国民教育体系中的重要地位，也明确了基础教育在促进教育公平中的重要地位，并为如何办好基础教育、促进教育公平指明了具体的努力方向。

党的十八大以来，政府及有关部门认真学习贯彻习近平总书记有关指示，启动实施相关项目，组织实施了多项教育政策措施，极大地推动了学前教育、义务教育、高中教育的发展。

在学前教育方面，实施三年行动计划。目前已经连续实施两期，第三期已于近期启动。

在义务教育方面，加强支持力度，大力推动九年义务教育均衡发展。采取联校制、学区制、集团化办学等一系列均衡区域教育资源的措施。截至2016年年底，中央财政累计投入营养膳食补助资金1591亿元，惠及3600多万名农村义务教育阶段学生。实行义务教育“两免一补”（免学杂费、免教科书费、寄宿生生活补助）。城乡义务教育阶段所有学生已免除学杂费。对义务教育阶段所有农村学生和城市低保家庭学生免费提供教科书，给农村学生免费配发汉语字典。对义务教育阶段农村和城市家庭经济困难寄宿生发放生活补助。

在高中教育方面，加强支持力度，大力普及高中阶段教育。尤其是实施普通高中学生资助政策。从2010年起，国家实施普通高中国家助学金政策，用于资助普通高中家庭经济困难学生，资助面约为20%。同时，实施中等职业教育免学费、补助生活费政策。给予全日制正式学籍一二年级在校涉农专业学生和非涉农专业家庭经济困难学

① 《习近平在北京市八一学校考察时强调　全面贯彻落实党的教育方针　努力把我国基础教育越办越好》，《人民日报》2016年9月10日。

生每生每年2000元的国家助学金资助等。

通过采取以上有力措施，到2017年年底，基础教育各学段教育都有了显著进步。例如，在学前教育方面，全国共有幼儿园25.50万所，比上年增加1.51万所，在园儿童（包括附设班）4600.14万人，比上年增加186.28万人。专任教师共243.21万人，比上年增加20.01万人。学前教育毛入园率达到79.6%，比上年提高2.2个百分点，实现了跨越式发展。在义务教育方面，小学学龄儿童净入学率达99.91%，初中阶段毛入学率达103.5%，已全面普及了九年义务教育。九年义务教育巩固率达93.8%。全国义务教育阶段在校生中进城务工人员随迁子女共1406.63万人。其中，在小学就读1042.18万人，在初中就读364.45万人。基本普及高中教育，全国高中阶段教育共有学校2.46万所，在校学生3970.99万人。高中阶段毛入学率达88.3%，比上年提高0.8个百分点。[①] 总体来看，近年来，我国基础教育各学段入学率均超过了中高收入国家平均水平，教育发展水平进入世界中上行列。

受社会各界关注的义务教育择校热，开始降温。各大城市积极推动按区划片就近入学，规范义务教育免试工作。深化考试招生制度改革，明确把促进公平公正作为改革的基本价值取向。2016年，19个副省级以上重点大城市各区按计划实现小学、初中划片就近入学。北京、上海、广州等19个大城市全面打响规范义务教育免试就近入学会战，大力推进联校制、学区制、集团化办学。2020年，我国要形成基于“考试成绩＋素质评价”的招生录取模式。

① 《2017年全国教育事业发展统计公报》，《中国教育报》2018年7月21日。

基础教育的长足进步，意味着教育公平有了新进展，社会公平有了新进步。

三、优化配置、加大投入是推进教育公平的有力保障

东西部之间、城乡之间教育发展水平的巨大差异，是导致我国教育不公平的重要原因，也是我国政府在相当长的时期内要面对和解决的问题。

针对这一问题，习近平总书记在考察北京市八一学校时明确指出，要优化教育资源配置，逐步缩小区域、城乡、校际差距，特别是要加大对革命老区、民族地区、边远地区、贫困地区基础教育的投入力度，保障贫困地区办学经费，健全家庭困难学生资助体系。[①] 这就为如何逐步缩小区域、城乡、学校差距，促进教育公平，指出了具体的推进路径。

革命老区、贫困地区、农村地区的教育一直让习近平总书记牵肠挂肚。2014 年 9 月 9 日，习近平总书记在北京师范大学与贵州国培计划培训班同学交流时强调，教育短板在西部地区、农村地区、老少边穷岛地区，尤其要加大扶持力度。[②]2015 年春节前夕，正在陕西考察工作的习近平总书记专程来到延安杨家岭福州希望小学，察看学校办学情况，同教师们进行交流。他对大家说，教育很重要。革命老

① 《习近平在北京市八一学校考察时强调　全面贯彻落实党的教育方针　努力把我国基础教育越办越好》，《人民日报》2016 年 9 月 10 日。

② 《习近平在北京师范大学考察时号召全国广大教师做党和人民满意的好老师》，《人民日报》2014 年 9 月 10 日。

区、贫困地区抓发展在根上还是要把教育抓好，不要让孩子输在起跑线上，财政资金要向这方面倾斜。[①]2018 年 5 月 31 日，习近平总书记给陕西照金北梁红军小学的同学们回信说：“在党和政府以及社会各界关心下，北梁小学即将恢复为完全小学，同学们上高年级不用跑远路了，在学校能喝上直饮水、洗上热水澡。”[②] 表达了他对革命老区、贫困地区、农村地区教育的特别关爱。

为了缩小区域之间、城乡之间、学校之间的教育差距，2013 年 12 月 31 日，《关于全面改善贫困地区义务教育薄弱学校基本办学条件的意见》正式出台。为了将这一民生工程办好、办到位，2015 年 8 月 18 日，习近平总书记主持十八届中央全面深化改革领导小组第十五次会议，审议通过了《全面改善贫困地区义务教育薄弱学校基本办学条件工作专项督导办法》，为“全面改薄”保驾护航。

师资是农村教育的最大问题。为了解决农村师资“下不去”“留不住”“教不好”这三个突出问题，2015 年 4 月 1 日，习近平总书记主持十八届中央全面深化改革领导小组第十一次会议，审议通过了《乡村教师支持计划（2015—2020 年）》。这份计划不仅有提高思想政治素质和师德水平、提升能力素质等软件建设的政策规定，也有拓展补充渠道、提高生活待遇、职称评聘倾斜、推动城镇优秀教师向乡村学校流动等政策规定。目前，各省、自治区、直辖市乡村教师支持计划的实施方案已经陆续出台。

党的十九大胜利闭幕后不久，2017 年 11 月 20 日，习近平总书

① 《习近平春节前夕赴陕西看望慰问广大干部群众 向全国人民致以新春祝福 祝祖国繁荣昌盛人民幸福安康》，《人民日报》2015 年 2 月 17 日。

② 《习近平给陕西照金北梁红军小学学生的回信》，《人民日报》2018 年 6 月 1 日。

记主持召开十九届中央全面深化改革领导小组第一次会议，审议通过了《全面深化新时代教师队伍建设改革的意见》，这也是新一届中央全面深化改革领导小组通过的第一份教育文件。会议指出，全面深化新时代教师队伍建设改革，要全面贯彻党的教育方针，坚持社会主义办学方向，遵循教育规律和教师成长发展规律，全面提升教师素质能力，深入推进教师管理体制机制改革，形成优秀人才争相从教、教师人人尽展其才、好老师不断涌现的良好局面。①

在财政投入上，党和政府始终坚持把教育作为财政支出重点领域予以优先保障。近年来，国家财政性教育经费使用坚持“保基本、补短板、促公平、提质量”，坚持向农村地区、边远贫困地区和民族地区倾斜。国家财政性教育经费支出占国内生产总值比例连续保持在 4% 以上。2016 年，进一步明确了“一个不低于、两个只增不减”的要求，保证国家财政性教育经费支出占国内生产总值的比例一般不低于 4%，确保财政一般公共预算教育支出逐年只增不减，确保按在校学生人数平均的一般公共预算教育支出逐年只增不减。这些重大决定充分体现了党中央、国务院发展教育事业、促进教育公平的坚定决心。

优化配置各种教育资源，加大财政投入，已经成为缩小区域、城乡、学校之间差距，推进教育公平的有力保障。

四、推进教育精准脱贫是促进教育公平的重大举措

重点帮助贫困人口子女接受教育，阻断贫困代际传递，把教育作

---

① 《习近平主持召开十九届中央全面深化改革领导小组第一次会议强调　全面贯彻党的十九大精神　坚定不移将改革推向深入》，《人民日报》2017 年 11 月 21 日。

为精准脱贫的重要手段和实施路径，促进教育公平和社会公平，成为党的十八大以来以习近平同志为核心的党中央所采取的一项重大举措。

党的十八大闭幕不久，习近平总书记到河北阜平县考察扶贫开发工作时，专门讲了这段话："治贫先治愚。要把下一代的教育工作做好，特别是要注重山区贫困地区下一代的成长。下一代要过上好生活，首先要有文化，这样将来他们的发展就完全不同。义务教育一定要搞好，让孩子们受到好的教育，不要让孩子们输在起跑线上。古人有'家贫子读书'的传统。把贫困地区孩子培养出来，这才是根本的扶贫之策。"①

2015 年教师节前夕，习近平总书记在给"国培计划（2014）"北京师范大学贵州研修班参训教师的回信中也指出："扶贫必扶智。让贫困地区的孩子们接受良好教育，是扶贫开发的重要任务，也是阻断贫困代际传递的重要途径。"②

2016 年 9 月 9 日上午，习近平总书记在北京市八一学校考察时明确指出，要推进教育精准脱贫，重点帮助贫困人口子女接受教育，阻断贫困代际传递，让每一个孩子都对自己有信心、对未来有希望。③

党的十八大以来，党中央、国务院高度重视扶贫工作，习近平总

---

① 习近平：《做焦裕禄式的县委书记》，中央文献出版社 2015 年版，第 24 页。

② 《习近平总书记给"国培计划（2014）"北师大贵州研修班参训教师的回信》，《人民日报》2015 年 9 月 10 日。

③ 《习近平在北京市八一学校考察时强调　全面贯彻落实党的教育方针　努力把我国基础教育越办越好》，《人民日报》2016 年 9 月 10 日。

书记亲力亲为、高位推进，对扶贫工作作出了一系列重要部署，特别是对教育扶贫工作提出了明确要求。

党的十九大报告明确指出："坚持大扶贫格局，注重扶贫同扶志、扶智相结合，深入实施东西部扶贫协作，重点攻克深度贫困地区脱贫任务，确保到二〇二〇年我国现行标准下农村贫困人口实现脱贫，贫困县全部摘帽，解决区域性整体贫困，做到脱真贫、真脱贫。"①

作为主要责任部门，教育部认真学习贯彻习近平总书记关于扶贫开发的重要战略思想，全面落实精准扶贫、精准脱贫的基本方略，采取超常规政策举措，精准聚焦贫困地区的每一所学校、每一名教师、每一个孩子，启动实施教育扶贫全覆盖行动，先后组织实施了面向贫困地区定向招生专项计划、中西部高等教育振兴计划、直属高校定点扶贫、职业教育团队式对口支援、培养少数民族高层次骨干人才计划等多项政策措施，进一步加强和规范高等教育学生资助政策等，实现了贫困地区义务教育普及、学校基础设施建设、学生资助体系、教师队伍建设、民族教育发展、职业教育提升等领域的教育扶贫全方位覆盖，为2020年农村贫困人口全部脱贫、贫困地区同步建成小康社会奠定了坚实基础。

在落实好这些政策基础上，教育部又在连片特困地区省份启动教育扶贫全覆盖行动，从学前教育、义务教育、普通高中、职业教育、高等教育、继续教育、贫困家庭学生七个层面构建全领域结对帮扶关系，全面覆盖贫困地区每一所学校、每一位教师、每一名学生及每一个建档立卡家庭，加快贫困地区教育事业发展。

---

① 习近平：《决胜全面建成小康社会　夺取新时代中国特色社会主义伟大胜利——在中国共产党第十九次全国代表大会上的报告》，《人民日报》2017年10月28日。

全国各地各部门各系统也积极行动，全面贯彻落实党中央、国务院新时期扶贫开发的决策部署，围绕“发展教育脱贫一批”的中心任务，坚决打好脱贫攻坚战，结合各自教育工作实际，提出有关实施意见与方案，采取有力措施，推进教育精准扶贫。目前，由于这些措施的针对性实施，不少贫困地区孩子总体的升学率、上名校人数等都有了较大提高。与此同时，全国范围内职业教育、民族教育、特殊教育等“短板”也得到了大力发展。

推动教育信息化是实现教育公平的有效途径之一，党和政府在教育信息化过程中也起到了积极助推作用。随着教育精准扶贫的大力推进，教育均衡、教育脱贫目标将会如期实现，教育公平也将得到进一步实现，更加促进社会公平正义。一个更加美好的明天正在向我们走来。

第十四章

全面提高教育质量

科教兴国已成为中国的基本国策。我们将秉持科技是第一生产力、人才是第一资源的理念，兼收并蓄，吸取国际先进经验，推进教育改革，提高教育质量，培养更多、更高素质的人才，同时为各类人才发挥作用、施展才华提供更加广阔的天地。

——习近平主席在会见清华大学经济管理学院顾问委员会海外委员时的讲话

党的十九大开启了全面建成小康社会、奋力实现中华民族伟大复兴中国梦的新征程，而高质量的教育是夺取新时代中国特色社会主义伟大胜利的坚实基础和强力引擎。正如习近平总书记在党的十九大报告中所指出的，“建设教育强国是中华民族伟大复兴的基础工程，必须把教育事业放在优先位置，深化教育改革，加快教育现代化，办好人民满意的教育。”[①] 党的十八大以来，习近平总书记站在党和国家事业全局的高度，明确提出要“推进教育改革，提高教育质量，培养更多、更高素质的人才”，[②] 把提高教育质量作为教育改革发展的核心任务，努力营造有利于创新人才成长的良好环境，推动我国教育总体发展水平迈入世界中上行列，为中国特色社会主义教育事业的加快发展指明了方向。

一、把提高教育质量摆在更加突出的战略位置

提高教育质量，坚持走以提高质量为核心的内涵式发展道路，是

① 习近平：《决胜全面建成小康社会　夺取新时代中国特色社会主义伟大胜利——在中国共产党第十九次全国代表大会上的报告》，《人民日报》2017 年 10 月 28 日。

② 《习近平会见清华大学经管学院顾问委员会海外委员》，《人民日报》2013 年 10 月 24 日。

习近平总书记立足我国现代化的阶段性特征和国际发展潮流提出的深刻命题。这既是科教兴国的必然选择、人才强国的应然要求、立德树人的本真要义，也是习近平总书记关于教育的重要论述的重要组成部分。

（一）提高教育质量是实施科教兴国战略的必然选择

教育兴则国家兴，教育强则国家强。2013 年 9 月 25 日，习近平主席在联合国“教育第一”全球倡议行动一周年纪念活动上发表的视频贺词中强调，中国将坚定实施科教兴国战略。[①] 这是基于对当前国内外形势准确把握而形成的战略决策。在全面建成小康社会的决胜阶段，教育的基础性、先导性、全局性作用更加凸显，提高教育质量成为加快推进教育现代化、全面建成小康社会的基础性工作。伴随我国经济发展的新形势，注重“有质量”的内涵式发展成为经济社会发展的必然要求。

对于举办世界最大规模教育体系的中国而言，要从教育大国走向教育强国，就必须注重与经济社会的协调发展，把关注点放到提高教育质量上来，突出质量内涵，增强质量意识，推进教育向内涵发展转变，着力提供更加丰富的优质教育，为全面建成小康社会和实现中华民族伟大复兴的中国梦奠定坚实基础。

（二）提高教育质量是实施人才强国战略的应然要求

千秋基业，人才为先。人才是国家富强与民族复兴最持久、最有力的支撑，人才竞争已经成为综合国力竞争的核心。2013 年 10 月，

① 《习近平主席在联合国“教育第一”全球倡议行动一周年纪念活动上发表视频贺词》，《人民日报》2013 年 9 月 27 日。

习近平总书记在欧美同学会成立100周年庆祝大会上指出，“人才是衡量一个国家综合国力的重要指标。没有一支宏大的高素质人才队伍，全面建成小康社会的奋斗目标和中华民族伟大复兴的中国梦就难以顺利实现。”“谁能培养和吸引更多优秀人才，谁就能在竞争中占据优势”。[①] 提高教育质量成为人才强国的应然要求，没有教育质量的提高，高素质人才队伍就成为无源之水、无本之木。换言之，只有向教育要质量，才能优化劳动力结构，厚植创新驱动根基，如期打赢全面深化改革的攻坚战；只有实现更高质量的教育，才能培育更多管用实用的高技能人才、创新型人才、高精尖人才，抢占人才竞争制高点，赢得主动、赢得优势、赢得未来。

（三）提高教育质量是落实立德树人根本任务的本真要义

把立德树人作为教育的根本任务，培养造就社会主义建设者和接班人，是习近平总书记关于教育的重要论述中的一个重要原则，也是一个根本性问题。党的十八大报告明确指出：“全面贯彻党的教育方针，坚持教育为社会主义现代化建设服务、为人民服务，把立德树人作为教育的根本任务，培养德智体美全面发展的社会主义建设者和接班人。”[②] 党的十九大报告又重申了“落实立德树人根本任务”[③] 的要求，这既充分彰显了我们党对于教育价值指向的准确判断，也进一步

① 习近平：《在欧美同学会成立100周年庆祝大会上的讲话》，《人民日报》2013年10月22日。

② 胡锦涛：《坚定不移沿着中国特色社会主义道路前进　为全面建成小康社会而奋斗——在中国共产党第十八次全国代表大会上的报告》，《人民日报》2012年11月18日。

③ 习近平：《决胜全面建成小康社会　夺取新时代中国特色社会主义伟大胜利——在中国共产党第十九次全国代表大会上的报告》，《人民日报》2017年10月28日。

说明习近平总书记牢牢抓住了中国特色社会主义教育事业的核心命题。而要真正落实立德树人根本任务，就必须提高教育质量；只有提高教育质量，才能真正培养出德智体美劳全面发展的社会主义建设者和接班人。

二、多措并举全面提升教育质量

党的十八大以来，以习近平同志为核心的党中央坚持教育优先发展，坚持立德树人，全面实施素质教育，把提高教育质量作为教育改革发展的核心任务，把促进人的全面发展、适应社会需要作为衡量教育质量的根本标准，切实把教育资源配置和学校工作重点集中到提高教育质量上来。在全面提升教育质量的过程中，党和国家坚持以方向领质量、借标准定质量、靠课改提质量、以师资保质量、用评价促质量，在育人方式、质量标准、课程改革、教师队伍、评价体系等方面采取了若干重大举措，取得了显著成就。

（一）创新育人方式

深化育人方式和人才培养方式改革，着力培养德智体美劳全面发展的社会主义建设者和接班人，是中国特色社会主义教育事业的根本目的，内在地规定了我国教育质量提升的总方向。党的十八大以来，在“创新、协调、绿色、开放、共享”五大发展理念的指导下，坚持立德树人，从德智体美劳全方位推进，不断创新育人方式，努力构建全面育人的新机制。

一是全面贯彻党的教育方针，系统出台了多项促进学生德智体美劳全面发展的政策措施。2017年9月，中共中央办公厅、国务院办公厅印发了《关于深化教育体制机制改革的意见》，在全面深化教育体制机制改革的同时，进一步系统推进育人方式改革，明确提出构建以社会主义核心价值观为引领的大中小幼一体化德育体系，注重培养支撑学生终身发展、适应时代要求的关键能力，要求建立以学生发展为本的新型教学关系，切实减轻学生过重的课外负担。[①] 为进一步落实立德树人根本任务指明了方向、提供了遵循。

二是将社会主义核心价值观融入教育教学全过程，推广校园足球，实施农村学校营养改善计划，促进学生身心健康。

三是将提高学生审美和人文素养作为改革发展的主线，实现以美育人、以文化人。

四是加强劳动教育，并将研学旅行纳入教育教学，鼓励学生走出校园，拓宽视野，不断增强学生的社会责任感和实践能力。

目前，学校育人方式和人才培养模式改革深入推进，“以学习者为中心”的基础教育人才培养模式不断创新，普通高校“协同育人”人才培养模式改革不断深化，职业院校形成了“产教融合、校企合作”特色化育人模式，继续教育构建了职业教育与普通教育相互沟通、职前教育与职后教育有效衔接的人才培养体系，教育的满意度和国际认可度显著提升。通过一系列改革举措，我国大中小学生德智体美劳整体水平不断提升，社会主义核心价值观深入学生心中，学生的道德品行得到长足发展；学生的积极心理品质得到有效培育；学生学业成就显著提升，上海等地的学生在国际学生评估项目（PISA）测试中成绩名列前茅；职业院

① 《中办国办印发〈关于深化教育体制机制改革的意见〉》，《人民日报》2017年9月25日。

校、高校本科毕业生就业率和就业质量不断提高，研究生学术研究与科技创新贡献力进一步提升，应用型高层次人才数量日益增加；学生体质健康稳中向好，艺术素养得到了大幅度提升。

（二）健全教育质量标准

积极探索和建立健全教育领域的标准体系，确保教育质量的提升有据可依，是我国提升教育质量的重要举措。在国家标准化发展规划的指导下，我国重视教育领域标准体系建设。

一是制定了《国家标准化体系建设发展规划（2016—2020 年）》，将我国教育标准化体系建设正式纳入国家标准化体系建设的范畴。

二是出台了《一级学科博士、硕士学位基本要求》等专业教学标准，保障和提升各级各类教育的教学质量。

三是出台了《义务教育学校管理标准（试行）》、《关于引导部分地方普通本科高校向应用型转型的指导意见》等学校管理标准，提高各级各类教育的治理水平。

四是制定了《中等职业学校教师专业标准（试行）》、《特殊教育教师专业标准（试行）》、《义务教育学校校长专业标准》、《普通高中校长专业标准》等一系列教师校长专业标准。

五是发布了《中国学生发展核心素养》总体框架，出台了《中小学教育质量综合评价指标框架（试行）》、《国家学生体质健康标准（2014 年修订）》等学生评价标准，为教育质量监测提供了科学依据。

六是印发了《普通高中课程方案和语文等学科课程标准（2017 年版）》等修订后的新课程标准，为中小学课程实施和教材编写提供了基本遵循。

经过上述努力，我国初步构建起涵盖各级各类教育，涉及管理、教学、课程教材、教师、学生发展等多维度的标准体系，有力促进了教育质量的提升。

（三）深化课程教材改革

课程教材改革是提高教育质量的重要载体。一方面，加强课改顶层设计。党的十八大以来，国家不断完善各级各类课程标准、丰富并优化课程专业设置、规范教材建设，各级各类教学改革的政策文件不断出台，为学校课程教材改革提供了方向定位与指导。另一方面，深化教育评价改革与质量监测，强化教育督导并将其法治化、规范化，发挥教育科研和教学研究在育人上的引领价值，为提升教育质量提供了重要保障。通过一系列努力，德育为先、能力为重、全面发展的教育理念得到普遍认同，有效促进了学生的能力提升和全面发展；核心素养研究取得较大进展，基础教育学校课程与教材体系不断优化，职业院校探索形成了基于校企合作的课程开发机制，高校创新导向的课程与教学探索初见成效。

（四）加强教师队伍建设

高质量的教师是教育质量提升的重要保障。2013 年教师节前夕，习近平总书记向全国广大教师致慰问信指出，“教师是立教之本、兴教之源，承担着让每个孩子健康成长、办好人民满意教育的重任”。[①] 因此，教师责任重大。习近平总书记在与北京师范大学师生代表座谈

---

① 《习近平向全国广大教师致慰问信》，《人民日报》2013 年 9 月 10 日。

时指出，“教师重要，就在于教师的工作是塑造灵魂、塑造生命、塑造人的工作”。① 提高教师地位，加强教师队伍建设，是时代命题。党的十九大报告强调“加强师德师风建设，培养高素质教师队伍，倡导全社会尊师重教”。②2018 年 5 月 2 日，习近平总书记在北京大学师生座谈会上的讲话中强调，“建设高素质教师队伍。人才培养，关键在教师”。③ 在 2018 年 9 月 10 日召开的全国教育大会上，习近平总书记强调，坚持把教师队伍建设作为基础工作。

党的十八大以来，国家先后出台了较为全面的支持教师专业发展的政策措施。2018 年 1 月，《中共中央国务院关于全面深化新时代教师队伍建设改革的意见》正式颁布，这是中华人民共和国成立以来党中央出台的第一份专门面向教师队伍建设的里程碑式政策文件，对全面深化教师队伍建设改革作出了战略部署。

一是加强师德师风建设，强化教师党支部和党员队伍建设，提高教师思想政治素质，弘扬高尚师德。

二是提升教师专业素质能力，加大对师范院校支持力度，支持高水平综合大学开展教师教育，分类提高教师质量。

三是理顺体制机制，创新和规范中小学教师编制配备，优化义务教育教师资源配置，完善中小学教师准入和招聘制度，深化中小学教师职称和考核评价制度改革。

---

① 习近平：《做党和人民满意的好老师——同北京师范大学师生代表座谈时的讲话》，《人民日报》2014 年 9 月 10 日。

② 习近平：《决胜全面建成小康社会　夺取新时代中国特色社会主义伟大胜利——在中国共产党第十九次全国代表大会上的报告》，《人民日报》2017 年 10 月 28 日。

③ 习近平：《在北京大学师生座谈会上的讲话》，《人民日报》2018 年 5 月 3 日。

四是提高教师地位待遇，明确教师的特别重要地位，完善中小学教师待遇保障机制，大力提升乡村教师待遇，维护民办高校教师权益，推进高校教师薪酬制度改革。

总的来说，党的十八大以来，国家以不断提升教师的人格修养和学识修养为抓手，以体制机制改革为重点，通过教育和培训将教师内在修养转化为外在的教育教学能力，在学历提升、技能培养、学识拓展的同时，切实推行教师教书育人的能力建设，有力保障了我国教育质量的提高。

（五）优化教育评价体系

教育评价具有导向作用，是教育教学活动的“指挥棒”，是教育质量提升的“助推器”。教育评价既为教育质量高与低的程度判断提供标准，又为教育质量好与坏的性质判断提供引导。

党的十八大以来，我国不断优化教育评价体系，以新的中考、高考改革为突破口，在评价依据、评价主体、评价内容、评价方式等方面实现了整体变革。

一是在教育评价的依据上，扭转单纯以考试成绩和学校升学率评价中小学教育质量的倾向，建构了包括学生品德、学业发展、身心发展、兴趣特长、学业负担五个方面的中小学教育质量综合评价指标框架。

二是在教育评价的主体上，国家、省（自治区、直辖市）、市、县四级人民政府教育督导机构不断完善，教育督导工作迈向常规化和专业化。

三是在教育评价的内容上，改变单纯重视分数的量化考核方式，增加描述性、质性的学生综合素质评价方式；改变考查学生对知识的记忆能力和技能，转向考查学生运用所学知识分析问题和解决问题的能力。

四是在教育评价的方式上，改革考试招生制度，使其适应不同学段和类型的培养目标；借助学业水平考试和高考实现合理分流，以分类考试、统一高考与自主招生结合来拓宽学生进入高等学校的道路。

总之，我国教育评价在发挥选拔功能的同时更注重促进学生的发展，在进行终结性评价的同时日益推行形成性评价，在规范外在评价标准的同时增加内在的自我评价，真正发挥教育评价正确引导、有效提升教育质量的功能。

三、努力形成有利于创新人才成长的育人环境

提高教育质量，归根结底是要创新人才培养模式、提高人才培养质量，造就一支规模宏大、结构合理、素质优良的创新型人才队伍。习近平总书记在十八届中央政治局第九次集体学习时强调，要深化教育改革，推进素质教育，创新教育方法，提高人才培养质量，努力形成有利于创新人才成长的育人环境。① 围绕育人环境创建，习近平总书记提出了一系列新思想、新论断和新要求，为建设有利于创新人才成长的育人环境指明了前进方向。

---

① 《习近平在中共中央政治局第九次集体学习时强调　敏锐把握世界科技创新发展趋势　切实把创新驱动发展战略实施好》，《人民日报》2013 年 10 月 2 日。

（一）加大教育投入力度，为提高人才培养质量营造良好物质环境

建构育人环境，物质是基础。习近平总书记在北京市八一学校考察时要求，各级党委和政府要坚持把教育放在优先发展的战略位置，强化责任意识，及时研究解决教育改革发展的重大问题和群众关心的热点问题。①

各级党委、政府要更加高度重视教育工作，在研制国民经济和社会发展规划时，优先安排教育事业发展，优先保障公共教育经费投入法定增长，优先满足教育和人力资源开发需要。自2012年以来，我国财政性教育经费支出占国内生产总值比例连续5年超过4%。2017年国务院颁布的《国家教育事业发展“十三五”规划》再度明确，将教育作为各级政府财政支出重点领域给予优先保障，并具体规定“保证国家财政性教育经费支出占国内生产总值的比例一般不低于4%”。② 从制度与机制上明确优先保障公共教育经费投入法定增长，为提高人才培养质量提供充足的经费保障。

（二）深化教育领域综合改革，为提高人才培养质量营造良好制度环境

建构育人环境，制度是保障。习近平总书记在考察北京市八一学校时指出，要深化办学体制、管理体制、经费投入体制、考试招生及

---

① 《习近平在北京市八一学校考察时强调　全面贯彻落实党的教育方针　努力把我国基础教育越办越好》，《人民日报》2016年9月10日。

② 《国务院关于印发国家教育事业发展“十三五”规划的通知》，2017年1月19日，见 http://www.gov.cn/zhengce/content/2017-01/19/content_5161341.htm。

就业制度等方面的改革，深化学校内部管理制度、人事薪酬制度、教学管理制度等方面的改革，深化人才培养模式、教学内容及方式方法等方面的改革，使各级各类教育更加符合教育规律、更加符合人才成长规律。[①] 党的十八大以来，国家坚持目标导向和问题导向相结合，坚持顶层设计和基层探索相结合，坚持综合改革和重点突破相结合，深化育人方式、办学模式、管理体制和保障机制改革，不断创新人才培养模式、方式方法和考试评价机制，提高教育治理水平和教育教学质量，为提高人才培养质量营造了良好制度环境。

（三）加快推进教育信息化，为提高人才培养质量营造良好技术环境

建构育人环境，技术是手段。教育信息化是促进教育公平、提高教育质量的有效手段，是创造泛在学习环境、构建学习型社会的必由之路，是当今世界越来越多国家提升教育质量的战略选择。2015 年 5 月 22 日，习近平总书记在致首届国际教育信息化大会的贺信中指出：“中国坚持不懈推进教育信息化，努力以信息化为手段扩大优质教育资源覆盖面。”[②] 这一主张指明了我国深化信息技术与教育深度融合的基本要求和发展前景，为构建网络化、数字化、个性化、终身化的教育体系，建设“人人皆学、处处能学、时时可学”的学习型社会，培养大批创新人才提供了环境保障。

---

① 《习近平在北京市八一学校考察时强调　全面贯彻落实党的教育方针　努力把我国基础教育越办越好》，《人民日报》2016 年 9 月 10 日。

② 习近平：《致国际教育信息化大会的贺信》，《人民日报》2015 年 5 月 24 日。

（四）扩大教育对外开放，为提高人才培养质量营造良好国际环境

建构育人环境，开放拓展平台。以开放促改革、促发展，是我国教育改革不断取得新成就的重要法宝。习近平总书记在清华大学苏世民学者项目启动仪式的贺信中指出，教育应该通过更加密切的互动交流，促进对人类各种知识和文化的认知，对各民族现实奋斗和未来愿景的体认，以促进各国学生增进相互了解、树立世界眼光、激发创新灵感，确立为人类和平与发展贡献智慧和力量的远大志向。[①] 教育对外开放，关键是提高质量，而不是盲目扩大规模。这些重要论述，创造性地将教育对外开放与提高人才培养质量相关联，阐明了扩大对外开放所体现出的教育旨归和内在规律。我国已与 50 余个国家和地区签署了学历学位互认协议，2016 年成为本科工程教育国际互认协议的正式成员，等等，为提高我国教育质量、培养更多更高素质人才接通了更为广阔的国际平台。

① 《清华大学苏世民学者项目启动仪式在京举行》，《人民日报》2013 年 4 月 22 日。

第十五章

培育和践行社会主义核心价值观

社会主义核心价值观是当代中国精神的集中体现，凝结着全体人民共同的价值追求。要以培养担当民族复兴大任的时代新人为着眼点，强化教育引导、实践养成、制度保障，发挥社会主义核心价值观对国民教育、精神文明创建、精神文化产品创作生产传播的引领作用，把社会主义核心价值观融入社会发展各方面，转化为人们的情感认同和行为习惯。

——习近平总书记在中国共产党第十九次全国代表大会上的报告

在党的十九大报告中，习近平总书记进一步丰富了党的十八大以来对社会主义核心价值观的论述，多次谈到社会主义核心价值观的学习、践行和教育问题，把社会主义核心价值观看成是“当代中国精神的集中体现，凝结着全体人民共同的价值追求”①。在谈到新时代中国特色社会主义思想和基本方略时，他更加明确地指出：“坚持社会主义核心价值体系。文化自信是一个国家、一个民族发展中更基本、更深沉、更持久的力量。必须坚持马克思主义，牢固树立共产主义远大理想和中国特色社会主义共同理想，培育和践行社会主义核心价值观，不断增强意识形态领域主导权和话语权，推动中华优秀传统文化创造性转化、创新性发展，继承革命文化，发展社会主义先进文化，不忘本来、吸收外来、面向未来，更好构筑中国精神、中国价值、中国力量，为人民提供精神指引。”②

党的十八大以来，习近平总书记对于社会主义核心价值观及其学习、践行和教育问题的论述，是他治国理政思想的一个重要组成部分，无论是对于习近平新时代中国特色社会主义思想体系建设，还是对于

① 习近平：《决胜全面建成小康社会　夺取新时代中国特色社会主义伟大胜利——在中国共产党第十九次全国代表大会上的报告》，《人民日报》2017 年 10 月 28 日。

② 习近平：《决胜全面建成小康社会　夺取新时代中国特色社会主义伟大胜利——在中国共产党第十九次全国代表大会上的报告》，《人民日报》2017 年 10 月 28 日。

新时代中国特色社会主义教育体系的完善，都具有重大的理论和实践意义。完整和深入地学习、领会和践行习近平总书记有关社会主义核心价值观及其学习、践行和教育问题的论述，是当前和今后一段时期全党全社会包括教育战线的一项重大政治任务，也是深入学习习近平总书记关于教育的重要论述的题中应有之义。

一、培育和弘扬社会主义核心价值观是强基固本工程

党的十八大首次凝练了“富强、民主、文明、和谐，自由、平等、公正、法治，爱国、敬业、诚信、友善”12个词、24个字的社会主义核心价值观，这是对中国特色社会主义理论的重大发展和贡献，也是世界社会主义运动史上明确提出社会主义的价值属性，标志着中国特色社会主义建设过程中又一个重大的理论创新。

党的十九大进一步明确提出：“社会主义核心价值观是当代中国精神的集中体现，凝结着全体人民共同的价值追求。要以培养担当民族复兴大任的时代新人为着眼点，强化教育引导、实践养成、制度保障，发挥社会主义核心价值观对国民教育、精神文明创建、精神文化产品创作生产传播的引领作用，把社会主义核心价值观融入社会发展各方面，转化为人们的情感认同和行为习惯。”[①] 在党的十九大精神的指引和感召下，全社会学习和践行社会主义核心价值观的活动必将进一步走向深入。

为什么党中央从十八大到十九大反复提出要在全党全社会培育

① 习近平：《决胜全面建成小康社会　夺取新时代中国特色社会主义伟大胜利——在中国共产党第十九次全国代表大会上的报告》，《人民日报》2017年10月28日。

和弘扬社会主义核心价值观？对于这个问题，习近平总书记在十八届中央政治局第十三次集体学习时作了充分阐述。他强调，把培育和弘扬社会主义核心价值观作为凝魂聚气、强基固本的基础工程。培育和弘扬核心价值观，有效整合社会意识，是社会系统得以正常运转、社会秩序得以有效维护的重要途径，也是国家治理体系和治理能力的重要方面。①2014 年 5 月 4 日，习近平总书记在与北京大学师生代表座谈时强调："人类社会发展的历史表明，对一个民族、一个国家来说，最持久、最深层的力量是全社会共同认可的核心价值观。核心价值观，承载着一个民族、一个国家的精神追求，体现着一个社会评判是非曲直的价值标准。"② 在这些论述的基础上，习近平总书记进一步指出："如果一个民族、一个国家没有共同的核心价值观，莫衷一是，行无依归，那这个民族、这个国家就无法前进。这样的情形，在我国历史上，在当今世界上，都屡见不鲜。"③ 这是从反面阐明了社会主义核心价值观建设的重大意义，并且诉诸历史的、现实的、国际的、国内的经验与教训。从这些论述中不难看出，习近平总书记有关社会主义核心价值观建设重大意义的认识，是站在社会发展、国家建设和民族振兴的全局提出来的，更是从实现"两个一百年"奋斗目标和中华民族伟大复兴中国梦的高度提出来的，具有重大的实践价值，体现了深远的历史考量。党的十九大更是将社会主义核心价值观看成当代中国

① 《习近平在中共中央政治局第十三次集体学习时强调　把培育和弘扬社会主义核心价值观作为凝魂聚气强基固本的基础工程》，《人民日报》2014 年 2 月 26 日。

② 习近平：《青年要自觉践行社会主义核心价值观——在北京大学师生座谈会上的讲话》，《人民日报》2014 年 5 月 5 日。

③ 习近平：《青年要自觉践行社会主义核心价值观——在北京大学师生座谈会上的讲话》，《人民日报》2014 年 5 月 5 日。

精神的集中体现、全体人民的共同价值追求。习近平总书记的这些论述，精辟指出了社会主义核心价值观建设与社会发展、国家建设、民族振兴之间的内在关联，反映了社会主义核心价值观建设的客观基础。

如何理解社会主义核心价值观的来源？习近平总书记指出，社会主义核心价值观“既体现了社会主义本质要求，继承了中华优秀传统文化，也吸收了世界文明有益成果，体现了时代精神”。① 这段话包含三个方面的具体内涵：一是社会主义核心价值观是社会主义的本质体现；二是继承了中华优秀传统文化，包括中华文化自古以来所倡导和追求的那些美好价值品质；三是借鉴吸收了世界文明的优秀价值成果。因此，社会主义核心价值观是对古今中外人类优秀价值成果的继承、概括和本土化，是站在新时代中国特色社会主义实践的立场上对社会主义价值属性的新认识。

在社会主义核心价值观的三个来源中，习近平总书记特别强调社会主义核心价值观与中华民族优秀传统价值观之间的内在联系和传承。他强调指出，中华文明绵延数千年，有其独特的价值体系。中华优秀传统文化已经成为中华民族的基因，植根在中国人内心，潜移默化地影响着中国人的思维方式和行为方式。他对中华优秀传统文化中的积极价值观念如数家珍，“民惟邦本”、“天人合一”、“和而不同”、“天下为公”，反映了中华民族美好的价值理想；“天下兴亡，匹夫有责”，强调了勇于担当的精神气质；“君子喻于义”、“君子坦荡荡”、“君子义以为质”等，表达了君子的人格理想；“己所不欲，勿施于人”，“出入相友，守望相助”，“老吾老以及人之老，幼吾幼以及人之幼”，

① 习近平：《青年要自觉践行社会主义核心价值观——在北京大学师生座谈会上的讲话》，《人民日报》2014 年 5 月 5 日。

“扶贫济困”等，反映了中国人的仁爱和友善。他饱含深情地指出：“像这样的思想和理念，不论过去还是现在，都有其鲜明的民族特色，都有其永不褪色的时代价值。这些思想和理念，既随着时间推移和时代变迁而不断与时俱进，又有其自身的连续性和稳定性。”[①] 正是由于深刻认识到中华民族优秀传统文化与社会主义核心价值观之间的渊源关系，习近平总书记坚决反对一段时期以来我国文化教育领域中出现的某些“去中国化”的观念和做法，强调应该把经典嵌在学生脑子里，成为中华民族文化的基因。[②] 并明确提出教育改革要坚持文化自信。[③]

习近平总书记不仅重视和倡导中华民族的优秀传统价值观，而且将其自觉运用到治国理政的伟大事业中去。他在党的十九大报告中指出：“增进民生福祉是发展的根本目的。必须多谋民生之利、多解民生之忧，在发展中补齐民生短板、促进社会公平正义，在幼有所育、学有所教、劳有所得、病有所医、老有所养、住有所居、弱有所扶上不断取得新进展，深入开展脱贫攻坚，保证全体人民在共建共享发展中有更多获得感，不断促进人的全面发展、全体人民共同富裕。”[④] 这些民生建设的主张就是在新时代背景下对古代民本思想和大同思想的创造性发展和时代性阐释。

---

① 习近平：《青年要自觉践行社会主义核心价值观——在北京大学师生座谈会上的讲话》，《人民日报》2014 年 5 月 5 日。

② 参见《习近平论“好老师”：教师第一位是“传道”》，2014 年 9 月 9 日，见 http://www.xinhuanet.com//politics/2014-09/09/c_1112412661.htm。

③ 《习近平在北京市八一学校考察时强调　全面贯彻落实党的教育方针　努力把我国基础教育越办越好》，《人民日报》2016 年 9 月 10 日。

④ 习近平：《决胜全面建成小康社会　夺取新时代中国特色社会主义伟大胜利——在中国共产党第十九次全国代表大会上的报告》，《人民日报》2017 年 10 月 28 日。

如何看待社会主义核心价值观的整体性、系统性和层次性？习近平总书记明确指出："富强、民主、文明、和谐是国家层面的价值要求，自由、平等、公正、法治是社会层面的价值要求，爱国、敬业、诚信、友善是公民层面的价值要求。这个概括，实际上回答了我们要建设什么样的国家、建设什么样的社会、培育什么样的公民的重大问题。"① 站在社会进步、国家建设和民族振兴的立场上，习近平总书记对社会主义核心价值观的整体性、系统性和层次性关系作了明确的、科学的说明，为我们理解和践行社会主义核心价值观提供了一个非常严密的思想框架。

学习、践行和开展社会主义核心价值观教育，必须体现它们相互之间的整体性、系统性和层次性。大中小学开展社会主义核心价值观教育，必须做好顶层设计、系统实施、全面囊括。当然，在不同学段开展社会主义核心价值观教育的具体要求、方式方法可以根据大中小学生的身心发展特点尤其是价值观形成的阶段性特点有所区别，形成一个方向一致、内容相同、体现学段特点、前后衔接的大中小学社会主义核心价值观教育体系。

二、将社会主义核心价值观贯穿国民教育全过程

价值观是文化的核心。培育和弘扬社会主义核心价值观是建设社会主义文化强国的重要任务，是一项社会系统工程。习近平总书记高度重视青少年的社会主义核心价值观教育问题，就如何将社会主义核

① 习近平：《青年要自觉践行社会主义核心价值观——在北京大学师生座谈会上的讲话》，《人民日报》2014 年 5 月 5 日。

心价值观贯穿到国民教育全过程、从小培育和践行社会主义核心价值观作出系列论述和指示，为整个国民教育系统开展社会主义核心价值观教育指明了方向、提出了要求。2014年，习近平总书记在十八届中央政治局第十三次集体学习时指出，要切实把社会主义核心价值观贯穿于社会生活方方面面。要通过教育引导、舆论宣传、文化熏陶、实践养成、制度保障等，使社会主义核心价值观内化为人们的精神追求，外化为人们的自觉行动。① 在这次讲话中，习近平总书记特别指出，学习和弘扬社会主义核心价值观，要从娃娃抓起、从学校抓起，做到进教材、进课堂、进头脑。② 这些论述，既体现了习近平总书记对青少年社会主义核心价值观教育的高度重视，也体现了社会主义核心价值观教育的一般规律。

在党的十九大报告中，他从建设新时代中国特色社会主义的高度出发，再次强调指出："要以培养担当民族复兴大任的时代新人为着眼点，强化教育引导、实践养成、制度保障，发挥社会主义核心价值观对国民教育、精神文明创建、精神文化产品创作生产传播的引领作用，把社会主义核心价值观融入社会发展各方面，转化为人们的情感认同和行为习惯。坚持全民行动、干部带头，从家庭做起，从娃娃抓起。深入挖掘中华优秀传统文化蕴含的思想观念、人文精神、道德规范，结合时代要求继承创新，让中华文化展现出永久魅力和时代风采。"③

---

① 《习近平在中共中央政治局第十三次集体学习时强调　把培育和弘扬社会主义核心价值观作为凝魂聚气强基固本的基础工程》，《人民日报》2014年2月26日。

② 《习近平在中共中央政治局第十三次集体学习时强调　把培育和弘扬社会主义核心价值观作为凝魂聚气强基固本的基础工程》，《人民日报》2014年2月26日。

③ 习近平：《决胜全面建成小康社会　夺取新时代中国特色社会主义伟大胜利——在中国共产党第十九次全国代表大会上的报告》，《人民日报》2017年10月28日。

2014年五四青年节，习近平总书记与北京大学师生代表座谈，一方面充分肯定了北京大学“爱国、进步、民主、科学”的“五四”精神；另一方面勉励广大青年要牢固树立社会主义核心价值观，做学习和践行社会主义核心价值观的表率。习近平总书记运用了一个比喻来喻指社会主义核心价值观教育的重要性，“这就像穿衣服扣扣子一样，如果第一粒扣子扣错了，剩余的扣子都会扣错。人生的扣子从一开始就要扣好”。他向广大青年提出了勤学、修德、明辨、笃实的“八字要求”。①

2014年六一儿童节前夕，习近平总书记在北京市海淀区民族小学再次强调，社会主义核心价值观“体现了古圣先贤的思想，体现了仁人志士的夙愿，体现了革命先烈的理想，也寄托着各族人民对美好生活的向往。只要是中国人，就应该自觉培育和践行社会主义核心价值观”。他强调少年儿童是祖国的未来和中华民族的希望，重申了梁启超《少年中国说》中的少年价值观。他对全国少年儿童学习和践行社会主义核心价值观提出了4句话、16个字的要求，即“记住要求、心有榜样、从小做起、接受帮助”。② 这些要求非常贴近少年儿童的学习、交往和成长的实际需要，饱含着习近平总书记对少年儿童健康成长的款款深情和无限希望。

2016年教师节前夕，习近平总书记回到自己的母校北京市八一学校看望慰问师生，勉励同学们要自觉加强道德养成，从小就让社会主义核心价值观的种子在心中生根发芽，把国家、人民、民族装在心

---

① 习近平：《青年要自觉践行社会主义核心价值观——在北京大学师生座谈会上的讲话》，《人民日报》2014年5月5日。

② 习近平：《从小积极培育和践行社会主义核心价值观——在北京市海淀区民族小学主持召开座谈会时的讲话》，《人民日报》2014年5月31日。

中，注重养成健康、乐观、向上的品格。努力做一个心灵纯洁、人格健全、品德高尚的人，努力做一个有文化修养、有人文关怀、有责任担当的人。①

2017 年 10 月 30 日，习近平总书记在会见清华大学经济管理学院顾问委员会海外委员和中方企业家委员时指出，人才是创新的根基，是创新的核心要素。培养人才，根本要依靠教育。教育就是要培养中国特色社会主义事业的建设者和接班人，而不是旁观者和反对派。② 从而把“培养什么人”“为谁培养人”的重大问题以非常肯定的语气进行了清晰和坚定的回答。

党的十八大以来，习近平总书记关于从小积极培育和践行社会主义核心价值观的系列论述，既体现了他对青少年学生健康成长的高度关怀，也体现了他治国理政的战略思维、未来思维。社会主义核心价值观教育，毫无疑问应该贯穿在小学、中学、大学等各级各类教育的全过程，内化于心、外化于行，成为新时代中国特色社会主义事业建设者和接班人终生不渝的价值信念和行动准则。

三、教师要在社会主义核心价值观教育中发挥榜样示范作用

教育旨在促进学生有价值地发展，因此，教师在学生的价值观形

① 《习近平在北京市八一学校考察时强调　全面贯彻落实党的教育方针　努力把我国基础教育越办越好》，《人民日报》2016 年 9 月 10 日。

② 《习近平会见清华大学经济管理学院顾问委员会海外委员和中方企业家委员》，《人民日报》2017 年 10 月 31 日。

成中具有非常重要的作用。同时，教师自身的价值观也会对学生的价值观学习产生直接、深刻的影响。

习近平总书记高度关注教师作用的发挥和教师本身的价值观修养。2014 年 9 月 9 日，他在与北京师范大学师生代表座谈时明确指出，教师的工作是塑造灵魂、塑造生命、塑造人的工作。他对广大教师提出了“做党和人民满意的好老师”的殷切期望，从四个方面概括了好老师的品质：要有理想信念、要有道德情操、要有扎实学识、要有仁爱之心。结合时代的需求，他对“传道”作出了崭新的解释，鲜明地提出：“好老师应该做中国特色社会主义共同理想和中华民族伟大复兴中国梦的积极传播者，帮助学生筑梦、追梦、圆梦，让一代又一代年轻人都成为实现我们民族梦想的正能量。”① 习近平总书记勉励广大教师用好课堂讲坛，用好校园阵地，用自己的行动倡导社会主义核心价值观，用自己的学识、阅历、经验点燃学生对真善美的向往，使社会主义核心价值观润物细无声地浸润学生们的心田、转化为日常行为，增强学生的价值判断能力、价值选择能力、价值塑造能力，引领学生健康成长。②

2016 年 9 月 9 日，习近平总书记在北京市八一学校考察时指出，基础教育是立德树人的事业，要旗帜鲜明加强思想政治教育、品德教育，加强社会主义核心价值观教育。广大教师要做学生锤炼品格的引路人，做学生学习知识的引路人，做学生创新思维的引路人，做学生

---

① 习近平：《做党和人民满意的好老师——同北京师范大学师生代表座谈时的讲话》，《人民日报》2014 年 9 月 10 日。

② 习近平：《做党和人民满意的好老师——同北京师范大学师生代表座谈时的讲话》，《人民日报》2014 年 9 月 10 日。

奉献祖国的引路人。①

2016年12月7日，习近平总书记在全国高校思想政治教育工作会议上指出，高校要坚持把立德树人作为中心环节，把思想政治工作贯穿教育教学全过程，实现全程育人、全方位育人。传道者自己首先要明道、信道。高校教师要坚持教育者先受教育，努力成为先进思想文化的传播者、党执政的坚定支持者，更好担起学生健康成长指导者和引路人的责任。要加强师德师风建设，坚持教书和育人相统一，坚持言传和身教相统一，坚持潜心问道和关注社会相统一，坚持学术自由和学术规范相统一，引导广大教师以德立身、以德立学、以德施教。②

2017年五四青年节前夕，习近平总书记在中国政法大学看望师生时，勉励法学专业教师要坚定理想信念，带头践行社会主义核心价值观，在做好理论研究和教学的同时，深入了解法律实际工作，促进理论和实践相结合，多用正能量鼓舞激励学生。③

2018年5月2日，习近平总书记在北京大学师生座谈会上发表重要讲话，进一步明确提出，高校只有抓住培养社会主义建设者和接班人这个根本才能办好，才能办出中国特色世界一流大学。在谈到高校要坚持正确政治方向时，他明确要求："要坚持不懈培育和弘扬社会主义核心价值观，引导广大师生做社会主义核心价值观的坚定信仰

---

① 《习近平在北京市八一学校考察时强调　全面贯彻落实党的教育方针　努力把我国基础教育越办越好》，《人民日报》2016年9月10日。

② 《习近平在全国高校思想政治工作会议上强调　把思想政治工作贯穿教育教学全过程　开创我国高等教育事业发展新局面》，《人民日报》2016年12月9日。

③ 《习近平在中国政法大学考察时强调　立德树人德法兼修抓好法治人才培养　励志勤学刻苦磨炼促进青年成长进步》，《人民日报》2017年5月4日。

者、积极传播者、模范践行者。”[①] 习近平总书记的这些论述，生动地阐释了社会主义建设者和接班人的时代内涵与价值要求。

习近平总书记的这些论述，为各级各类学校加强教师队伍的社会主义核心价值观建设，更好地发挥教师在青少年学习、践行社会主义核心价值观方面的榜样示范作用指明了方向，提出了明确要求。“师者，所以传道授业解惑也”。传道是教师的首要任务，这是历史的真理。在全面建设新时代中国特色社会主义、实现中华民族伟大复兴的今天，传道就是要传承和弘扬社会主义核心价值观，其根本目的在于培育德智体美劳全面发展的社会主义建设者和接班人。

培育和弘扬社会主义核心价值观，要求广大教师率先学习和践行社会主义核心价值观。青少年学生自主意识强，充满理想，思想活跃，在价值观问题上遇到一些困惑或问题是最正常不过的事情，确实需要来自教师的帮助和指引。正如习近平总书记在2014年教师节前夕看望北京师范大学师生时所明确指出的那样，“老师对学生的影响，离不开老师的学识和能力，更离不开老师为人处世、于国于民、于公于私所持的价值观。一个老师如果在是非、曲直、善恶、义利、得失等方面老出问题，怎么能担起立德树人的责任？广大教师必须率先垂范、以身作则，引导和帮助学生把握好人生方向”。[②] 这就要求高等学校广大教师在努力提高自己专业素养的同时，必须不断加强自己的价值观修养，深刻理解社会主义核心价值观提出的背景、来源、内涵、体系和要求，自觉地将自己个人的价值观与社会主义核心价值观一致

① 习近平：《在北京大学师生座谈会上的讲话》，《人民日报》2018年5月3日。

② 习近平：《做党和人民满意的好老师——同北京师范大学师生代表座谈时的讲话》，《人民日报》2014年9月10日。

起来，用社会主义核心价值观来丰富和提升自己的个人价值观，在建设什么样的国家、构造什么样的社会和如何做一名优秀公民等事关国家建设、社会进步和公民责任等重大问题上给青年以正确的指引。

培育和弘扬社会主义核心价值观，关键是要广大教师树立起价值观自信。首先，广大教师应该认识到，价值观无论是作为理想信念还是作为行为准则，都是具有历史性、社会性和相对性的，对任何价值观念体系或任何一个价值观范畴的理解都必须置于具体的历史、社会和实践背景下进行，不能抽象、孤立和空洞地谈论价值观问题。其次，广大教师应该认识到，价值观是文化的核心，任何的文化传统都有自己历史形成的价值观传统，其中包含了该文化族群对理想的国家、社会和个体生活的向往与追求。再次，广大教师应该深刻领会，社会主义核心价值观的凝练是新时代中国特色社会主义理论建设的新成就，反映了社会主义的本质，是立国之基、民族之魂，在经济全球化时代既能在价值观领域内沟通中国与世界，同时又彰显中华民族独特精神气质和价值追求，是团结各民族为实现中华民族伟大复兴中国梦而共同奋斗的坚强纽带。只有当广大教师都树立了坚定的对社会主义核心价值观的自信，才能够更加积极、自觉和创造性地开展社会主义核心价值观教育，自觉抵制一切错误的、低俗的和似是而非的价值观对青少年学生的消极影响，引导青少年学生成长为中国特色社会主义的积极建设者和可靠接班人。

四、全社会要营造社会主义核心价值观教育支持网络和良好氛围

新时代社会主义核心价值观的学习和践行，是一项庞大的社会工

程，需要整个社会的支持，需要一个更加良好的全社会学习和践行社会主义核心价值观的积极氛围。习近平总书记在党的十九大报告中指出，要以培养担当民族复兴大任的时代新人为着眼点，强化教育引导、实践养成、制度保障。坚持全民行动、干部带头，从家庭做起，从娃娃抓起。[①] 要各方积极努力，构筑社会主义核心价值观教育的良好社会支持网络。

习近平总书记非常强调良好的家风家训对青少年儿童正确价值观形成的奠基性作用。“天下之本在家”。他高度重视中华传统家庭美德和家风建设，认为像尊老爱幼、妻贤夫安、母慈子孝、兄友弟恭以及耕读传家、勤俭持家、知书达礼、遵纪守法、家和万事兴等中华民族传统家庭美德，早已融入中国人的血脉，是支撑中华民族生生不息、薪火相传的重要精神力量，也是家庭文明建设的宝贵精神财富。他将家庭建设的重要性提升到了一个新的历史高度，认为家庭和睦则社会安定，家庭幸福则社会祥和，家庭文明则社会文明。他希望广大家庭“要在家庭中培育和践行社会主义核心价值观，引导家庭成员特别是下一代热爱党、热爱祖国、热爱人民、热爱中华民族”。[②]

习近平总书记高度重视社会环境在社会主义核心价值观教育特别是青少年社会主义核心价值观教育中的作用。他强调，一种价值观要真正发挥作用，必须融入社会生活，让人们在实践中感知它、领悟它。[③] 只

---

① 习近平：《决胜全面建成小康社会　夺取新时代中国特色社会主义伟大胜利——在中国共产党第十九次全国代表大会上的报告》，《人民日报》2017 年 10 月 28 日。

② 习近平：《在会见第一届全国文明家庭代表时的讲话》，《人民日报》2016 年 12 月 16 日。

③ 《习近平在中共中央政治局第十三次集体学习时强调　把培育和弘扬社会主义核心价值观作为凝魂聚气强基固本的基础工程》，《人民日报》2014 年 2 月 26 日。

有这样，才能克服人们在价值观问题上知行脱节的问题。他一再强调，要注意把我们所提倡的与人们日常生活紧密联系起来，在落细、落小、落实上下功夫。要按照社会主义核心价值观的基本要求，健全各行各业规章制度，完善市民公约、乡规民约、学生守则等行为准则，使社会主义核心价值观成为人们日常工作生活的基本遵循。他非常重视礼仪制度等方面的建设，强调将社会主义核心价值观融入一些礼仪制度和庆典活动，以增强人们的认同感和归属感。提倡“利用各种时机和场合，形成有利于培育和弘扬社会主义核心价值观的生活情景和社会氛围，使核心价值观的影响像空气一样无所不在、无时不有”。①

当今是网络时代，网络上的信息对青少年价值观的形成和变化有着直接的、强有力的影响。习近平总书记非常重视网络环境在社会主义核心价值观教育中的作用。他指出，互联网不是“法外之地”，② 网络空间是亿万民众共同的精神家园，网络空间天朗气清、生态良好，符合人民利益。③

在习近平总书记对于社会主义核心价值观及其教育问题的思想指导下，中共中央办公厅、国务院办公厅，中宣部、教育部、团中央等部委以及各省、自治区、直辖市，近几年已经陆续颁布了一系列将社会主义核心价值观贯穿国民教育全过程的有关文件，各级各类大中

① 《习近平在中共中央政治局第十三次集体学习时强调　把培育和弘扬社会主义核心价值观作为凝魂聚气强基固本的基础工程》，《人民日报》2014 年 2 月 26 日。

② 《习近平接受〈华尔街日报〉采访时强调　坚持构建中美新型大国关系正确方向　促进亚太地区和世界和平稳定发展》，《人民日报》2015 年 9 月 23 日。

③ 《习近平主持召开网络安全和信息化工作座谈会强调　在践行新发展理念上先行一步　让互联网更好造福国家和人民》，《人民日报》2016 年 4 月 20 日。

小学也积极行动起来，扎扎实实地开展社会主义核心价值观教育活动。社会各个行业、各个部门、社区和成千上万的家庭也积极行动起来，努力为青少年学生学习和践行社会主义核心价值观创造良好条件。整个国民教育系统开展的社会主义核心价值观教育，正在逐步走向深入。

第十六章

加强中华优秀传统文化教育

培育和弘扬社会主义核心价值观必须立足中华优秀传统文化。牢固的核心价值观，都有其固有的根本。抛弃传统、丢掉根本，就等于割断了自己的精神命脉。博大精深的中华优秀传统文化是我们在世界文化激荡中站稳脚跟的根基。中华文化源远流长，积淀着中华民族最深层的精神追求，代表着中华民族独特的精神标识，为中华民族生生不息、发展壮大提供了丰厚滋养。

——习近平总书记在十八届中央政治局第十三次集体学习时的讲话

中华优秀传统文化博大精深，凝聚着中华民族自强不息的精神追求和历久弥新的精神财富。党的十八大以来，以习近平同志为核心的党中央高度重视中华优秀传统文化的历史传承和创新发展，从中华民族最深沉的精神追求和最根本的精神基因、独特的精神标识和中华民族精神“根”和“魂”、最宝贵的精神品格和命脉的高度，定位优秀传统文化；从中华民族最基本的文化基因、最深厚的软实力与坚定文化自信的坚实根基和突出优势的高度，继承优秀传统文化；从涵养社会主义核心价值观的重要源泉、实现“两个一百年”奋斗目标和中华民族伟大复兴中国梦的重要精神支撑的高度，弘扬优秀传统文化；从推动中华民族现代化进程的长远战略高度，创新发展优秀传统文化，推进中华优秀传统文化的创造性转化、创新性发展，赋予了中华优秀传统文化崭新的时代内涵。

习近平总书记在党的十九大报告中指出：“文化自信是一个国家、一个民族发展中更基本、更深沉、更持久的力量。”“推动中华优秀传统文化创造性转化、创新性发展，继承革命文化，发展社会主义先进文化，不忘本来、吸收外来、面向未来，更好构筑中国精神、中国价值、中国力量，为人民提供精神指引。”[①] 党的十九大站在历史和时代

① 习近平：《决胜全面建成小康社会　夺取新时代中国特色社会主义伟大胜利——在中国共产党第十九次全国代表大会上的报告》，《人民日报》2017 年 10 月 28 日。

的战略高度，深刻分析了国际国内形势发展新变化，站在新的历史起点，宣示了中国特色社会主义进入新时代，明确了中国特色社会主义的历史方位，形成了习近平新时代中国特色社会主义思想，开启了全面建设社会主义现代化强国的新征程。党的十九大报告是马克思主义的纲领性文献，指明了党和国家事业的前进方向，是我们教育工作者深入学习习近平新时代中国特色社会主义思想，特别是深入学习习近平总书记关于教育的重要论述，加强中华优秀传统文化教育的行动指南。

习近平总书记关于中华优秀传统文化的一系列重要论述，是习近平总书记关于教育的重要论述的重要组成部分，是我们在新形势下做好教育工作的根本指引。加强中华优秀传统文化教育，既是当务之急，也是百年大计、千年大计；既功在当代，也会泽及后世子孙、增进人类福祉。深入学习贯彻习近平总书记关于弘扬中华优秀传统文化的重要论述，深刻领会其重要意义、思想内涵和精神实质，对于我们落实立德树人根本任务，引导青少年增强价值观自信，坚持道路自信、理论自信、制度自信、文化自信，培育和践行社会主义核心价值观，实现中华民族伟大复兴的中国梦，都具有长远的时代价值和重要的战略意义。

一、加强中华优秀传统文化教育的重大意义

文化是一种精神、一种信念、一种力量，是民族的血脉，是人民的精神家园。中华优秀传统文化，是中华民族的“根”和“魂”，是中华民族的血脉，是中华民族精神的标识，是当代中国社会主义核心

价值观的思想渊源，也是全人类弥足珍贵的精神瑰宝。习近平总书记在中央党校建校80周年庆祝大会暨2013年春季学期开学典礼上的讲话中指出："中国传统文化博大精深，学习和掌握其中的各种思想精华，对树立正确的世界观、人生观、价值观很有益处。"[①]习近平总书记在会见第四届全国道德模范及提名奖获得者时强调，中华文明源远流长，蕴育了中华民族的宝贵精神品格，培育了中国人民的崇高价值追求。自强不息、厚德载物的思想，支撑着中华民族生生不息、薪火相传，今天依然是我们推进改革开放和社会主义现代化建设的强大精神力量。[②]习近平总书记的精辟论述，阐明了加强中华优秀传统文化教育重大的现实意义和长远的战略意义。

（一）中华优秀传统文化是中华民族安身立命的基础，永续繁衍的血脉，绵延不绝的"根"和"魂"

中华民族在5000多年连绵不断的文明发展进程中创造了博大精深的优秀文化。习近平总书记在纪念孔子诞辰2565周年国际学术研讨会暨国际儒学联合会第五届会员大会开幕会上的讲话中指出："优秀传统文化是一个国家、一个民族传承和发展的根本，如果丢掉了，就割断了精神命脉。"中华优秀传统文化"体现着中华民族世世代代在生产生活中形成和传承的世界观、人生观、价值观、审美观等，其中最核心的内容已经成为中华民族最基本的文化

---

① 习近平：《在中央党校建校80周年庆祝大会暨2013年春季学期开学典礼上的讲话》，《人民日报》2013年3月3日。

② 《习近平在会见第四届全国道德模范及提名奖获得者时强调　深入开展学习宣传道德模范活动　为实现中国梦凝聚有力道德支持》，《人民日报》2013年9月27日。

基因”。[1] 加强中华优秀传统文化教育，关系中华民族的“根”之所系与“魂”之所牵。

（二）中华优秀传统文化是中华民族文明史的记录、民族精神的追求和标识

习近平总书记在会见第七届世界华侨华人社团联谊大会代表时指出，中华文明有着5000多年的悠久历史，是中华民族自强不息、发展壮大的强大精神力量。中华文化是中华儿女共同的精神基因。[2] 习近平总书记在十八届中央政治局第十三次集体学习时的讲话中指出，中华文化源远流长，积淀着中华民族最深层的精神追求，代表着中华民族独特的精神标识，为中华民族生生不息、发展壮大提供了丰厚滋养。[3] 加强中华优秀传统文化教育，关系中华民族的生存与发展。

（三）中华优秀传统文化是中华民族共同培育的民族精神的重要源泉

习近平总书记在第十二届全国人民代表大会第一次会议上的讲话中指出：“中华民族具有5000多年连绵不断的文明历史，创造了博大精深的中华文化，为人类文明进步作出了不可磨灭的贡献。经过几千年的沧桑岁月，把我国56个民族、13亿多人紧紧凝聚在一起的，是

---

① 习近平：《在纪念孔子诞辰2565周年国际学术研讨会暨国际儒学联合会第五届会员大会开幕会上的讲话》，《人民日报》2014年9月25日。

② 《习近平在会见第七届世界华侨华人社团联谊大会代表时强调　共同的根共同的魂共同的梦　共同书写中华民族发展新篇章》，《人民日报》2014年6月7日。

③ 《习近平在中共中央政治局第十三次集体学习时强调　把培育和弘扬社会主义核心价值观作为凝魂聚气强基固本的基础工程》，《人民日报》2014年2月26日。

我们共同经历的非凡奋斗，是我们共同创造的美好家园，是我们共同培育的民族精神，而贯穿其中的、更重要的是我们共同坚守的理想信念。”① 加强中华优秀传统文化教育，关系中华民族共同坚守的理想信念，是中华民族共同培育的民族精神的重要源泉。

（四）中华优秀传统文化是中华民族和中华儿女文化自信的重要根基

中华优秀传统文化是我们深厚的文化软实力，是我们文化发展的母体，积淀着中华民族最深沉的精神追求。文化自信是一个民族、一个国家和一个政党对自身文化价值的充分肯定和积极践行，并对其文化生命力持有的坚定信心。习近平总书记在哲学社会科学工作座谈会上的讲话中指出：“我们说要坚定中国特色社会主义道路自信、理论自信、制度自信，说到底是要坚定文化自信。文化自信是更基本、更深沉、更持久的力量。”② 这既昭示了文化自信具有的更加突出的位置，也指明了加强中华优秀传统文化教育的紧迫性和重要性。

（五）中华优秀传统文化是当代中国实现国家现代化的重要保证

任何国家的现代化都是以其文化传统和价值观作为指导的。现代化包括物质的现代化、社会结构和生活关系的现代化，而现代化最重要的是人的现代化。我们高兴地看到，响应习近平总书记的号召，为

---

① 习近平：《在第十二届全国人民代表大会第一次会议上的讲话》，《人民日报》2013 年 3 月 18 日。

② 习近平：《在哲学社会科学工作座谈会上的讲话》，《人民日报》2016 年 5 月 19 日。

落实社会主义核心价值观和加强中华优秀传统文化教育，由教育部统一组织编写的义务教育道德与法治、语文、历史三科教材，加强了中华优秀传统文化教育，已经开始在全国中小学起始年级使用。可以预期，在广大青少年中加强中华优秀传统文化教育，对于当前和未来推动我国社会主义现代化事业必将产生明显而深远的影响。

（六）中华优秀传统文化是构建人类命运共同体的重要助力

党的十八大以来，习近平总书记多次论述过关于“人类命运共同体”的问题，并明确提出了“构建人类命运共同体，实现共赢共享”的中国方案。质言之，中华优秀传统文化中“天人合一”的哲学思想、“和而不同”的文化理念与“协和万邦”、“万国咸宁”、“天下为公”、“天下大同”的政治愿景，都与通过发展以合作、共赢为核心的新型国际关系来构建人类命运共同体有着密切的联系。

综上所述，加强中华优秀传统文化教育，是建设中华优秀传统文化传承体系、推动文化传承创新的重要途径。当今世界，文化在综合国力竞争中的地位和作用更加凸显，越来越成为民族凝聚力和创造力的重要源泉。当前，世界多极化、经济全球化深入发展，国内经济社会转轨转型、深刻变革，现代传播技术迅猛发展，世界范围内各种思想文化的交流、交融、交锋更加频繁，社会思想观念日益活跃。习近平总书记在文艺工作座谈会上的讲话中指出：“中华优秀传统文化是中华民族的精神命脉，是涵养社会主义核心价值观的重要源泉，也是我们在世界文化激荡中站稳脚跟的坚实根基。”[①] 加强中华优秀传统文

① 习近平：《在文艺工作座谈会上的讲话》，《人民日报》2015 年 10 月 15 日。

化教育，是建设社会主义文化强国的重大战略任务，对于深入学习习近平总书记关于教育的重要论述，更好地传承中华文脉、全面提升人民文化素养、维护国家文化安全、增强国家文化软实力，持续推进国家治理体系和治理能力现代化都具有重要意义；对于促进世界和平、友好、发展，减少和化解生态危机、不同文明之间和国与国之间的矛盾冲突，也都有越来越大的隐性和显性的国际意义。

二、中华优秀传统文化的核心思想理念

中华优秀传统文化是中华民族语言习惯、文化传统、思想观念、情感认同的集中体现，凝聚着中华民族普遍认同和广泛接受的道德规范、思想品格和价值取向，具有极为丰富的思想内涵。习近平总书记在十八届中央政治局第十三次集体学习时指出，深入挖掘和阐发中华优秀传统文化讲仁爱、重民本、守诚信、崇正义、尚和合、求大同的时代价值，使中华优秀传统文化成为涵养社会主义核心价值观的重要源泉。①

“讲仁爱、重民本、守诚信、崇正义、尚和合、求大同”，是中华优秀传统文化中思想道德、政治理念、价值追求、人格修养、独特品质、社会理想的精华，是中华传统美德和民族精神的高度概括，是涵养社会主义核心价值观的重要源泉，集中体现了中华优秀传统文化的思想精华、道德精髓、根本精神和核心思想理念，集中体现了中华民族的传统核心价值观。加强中华优秀传统文化教育，必须围绕“讲仁

① 《习近平在中共中央政治局第十三次集体学习时强调　把培育和弘扬社会主义核心价值观作为凝魂聚气强基固本的基础工程》，《人民日报》2014年2月26日。

爱、重民本、守诚信、崇正义、尚和合、求大同”这一核心思想理念，逐步展开，不断深化，与时俱进。

（一）仁爱：中华文化的核心力量

思想道德建设是中华优秀传统文化的核心力量。中国人崇奉以儒家仁爱思想为核心的道德规范体系，讲求和谐有序，倡导仁义礼智信，追求“修身、齐家、治国、平天下”全面的道德修养和人生境界，崇尚“己所不欲，勿施于人”[①]，“己欲立而立人，己欲达而达人”[②]的仁爱原则。加强中华优秀传统文化教育，就是要在全社会，特别是在广大青少年中开展以仁爱共济、立己达人为重点的社会关爱教育。

（二）民本：中华文化的价值追求

民本是中国古代政治思想的基本理念，孟子曰：“民为贵，社稷次之，君为轻。”[③]中华优秀传统文化中仁民爱物的仁爱精神、以民为本的人文精神、深厚绵长的家国情怀等，集中体现了中华优秀传统文化的人民性，反映了广大人民群众的基本价值追求。

（三）诚信：中华文化的做人准则

诚信既是个人的立身之本，也是一个民族、一个国家的生存之基。“言必信，行必果”是历代中国人待人处世的人生哲理。加强中

---

① （宋）朱熹撰：《四书章句集注》，中华书局 1983 年版，第 132 页。

② （宋）朱熹撰：《四书章句集注》，中华书局 1983 年版，第 92 页。

③ （宋）朱熹撰：《四书章句集注》，中华书局 1983 年版，第 367 页。

华优秀传统文化教育，就是要开展以诚实守信、正心笃志、崇德弘毅为重点的人格修养教育。

（四）正义：中华文化的伦理原则

正义是人立身处世的根本，体现了社会的整体利益与个人的人格尊严。公平正义历来是人类孜孜以求的社会理想，中华民族是崇尚公平与道义的民族。孔子在2000多年前就抒发了“朝闻道，夕死可矣”[①] 的壮烈感慨和精神追求。

（五）和合：中华文化的独特品质

爱国主义的民族深情、团结统一的价值取向、贵和尚中的思维模式、厚德载物的博大胸怀等，是中华民族精神的基本内容，彰显了中华优秀传统文化的特质。

（六）大同：中华文化的社会理想

大同是古人最高的社会政治理想，激励了一代代仁人志士为其矢志不渝、奋斗不息，大同理想是中国梦的文化根基。习近平总书记在第十二届全国人民代表大会第一次会议闭幕会上指出：“实现中华民族伟大复兴的中国梦，就是要实现国家富强、民族振兴、人民幸福，既深深体现了今天中国人的理想，也深深反映了我们先人们不懈追求进步的光荣传统。”[②]

① （宋）朱熹撰：《四书章句集注》，中华书局1983年版，第71页。

② 习近平：《在第十二届全国人民代表大会第一次会议上的讲话》，《人民日报》2013年3月18日。

因此，加强对中华优秀传统文化的挖掘与阐发，把超越时空、跨越国度、富有永恒魅力、具有当代价值的独特文化精神发扬光大，努力实现对中华优秀传统文化的创造性转化、创新性发展，是历史和时代赋予我们的神圣职责和重大任务，也是实现伟大的中国梦的必然要求和现实需要。

三、中华优秀传统文化的基本功能、思想精华和时代价值

中华优秀传统文化有其独特的价值观和价值体系。习近平总书记在北京大学师生座谈会上的讲话中指出："中华优秀传统文化已经成为中华民族的基因，植根在中国人内心，潜移默化影响着中国人的思想方式和行为方式。今天，我们提倡和弘扬社会主义核心价值观，必须从中汲取丰富营养，否则就不会有生命力和影响力。"① 这种独特的价值体系，是中华优秀传统文化的核心与灵魂，是新时代中华民族共同价值观的感召力、影响力、凝聚力的集中体现。加强中华优秀传统文化教育必须深刻理解和认识中华优秀传统文化的基本功能、思想精华和时代价值。

（一）深刻认识中华优秀传统文化的基本功能

中华优秀传统文化对化解人类面临的矛盾冲突及人生面临的困难、困惑，能够提供强大而有益的精神滋养和价值影响。在现代社会，人类主要面临着五大冲突，即人与人、人与自然、人与社会、人

① 习近平：《青年要自觉践行社会主义核心价值观——在北京大学师生座谈会上的讲话》，《人民日报》2014年5月5日。

与自我心灵以及不同文明之间的冲突。这五大冲突也造成了人类生态、社会、道德、精神和价值的五大危机。解决这些冲突、危机与人生面临的困难、困惑，很难从西方文化中找到答案。因为西方文化的价值追求是以自我为中心的，而中华优秀传统文化所关注的是人与自然、人与社会群体、人与人、人与自我心灵世界的和谐关系，和谐是中国优秀传统文化的最高准则。中华传统文化是“天人合一”之学、是人际和谐之学、是身心平衡之学、是道德践行之学、是理想人格之学、是内圣外王之学、是安身立命之学、是人生智慧之学。这是中华优秀传统文化独有的基本功能，也是中华文化为世界发展提供中国方案的根本之所在。

（二）深刻认识中华优秀传统文化的思想精华

中华优秀传统文化具有独特的凝聚力、独特的延续力、独特的传承体系、独特的文化精神、独特的时代价值。从哲学层面上观察，中华优秀传统文化的思想精华体现在以下几个方面：

一是“天人合一”的生命哲学。“天人合一”是中华优秀传统文化的最高境界，其核心就是强调人与自然的和谐统一，表现在人的文化行为上，就是天人合德，强调人类的道德理性与自然生生之德的一致。

二是自强不息的担当精神。《周易》中说，“天行健，君子以自强不息”。[①] 这是中华民族历经磨难而始终不败的文化精神。中国文化倡导的自强不息、刚健有为精神，既包含积极入世、主动进取的执着追

① （清）阮元校刻：《十三经注疏》（上），中华书局 1980 年版，第 14 页。

求和担当道义、不屈不挠的社会责任，也包含正直独立人格和主动创造精神。中华民族之所以能在5000多年的历史进程中饱经沧桑而自强不息，靠的就是这样一种奋发图强、坚韧不拔的精神。

三是和而不同的和谐思想。中华优秀传统文化在价值追求上，展现了“和而不同”，“和实生物，同则不继”，“万物并育而不相害，道并行而不相悖”的价值取向和智慧。在政治观上，追求民族统一的“大一统”观念，注重“协和万邦”，强调亲仁善邻；在对外关系中，始终秉承“强不执弱”、“富不侮贫”的精神，主张吸纳百家优长、兼集八方精义，注重各民族的团结统一。

四是民惟邦本的民本思想。中华优秀传统文化注重人的价值，强调以民为本，提出“敬德保民”，“重民轻神”，“恤民为德”，“天地之间，莫贵于人”，“民惟邦本，本固邦宁”等民本思想，主张治国须利民、裕民、养民、惠民，对于缓和社会矛盾、维系社会相对稳定产生了深远的影响。

五是止于至善的崇高追求。中华优秀传统文化在个人理想追求上，主张“修齐治平”。《大学》中说：“大学之道，在明明德，在亲民，在止于至善。”①“物格而后知至，知至而后意诚，意诚而后心正，心正而后身修，身修而后家齐，家齐而后国治，国治而后天下平。”② 这种积极向上的个人理想追求，影响着中国一代又一代的仁人志士，修身养性，奋斗不止；追求大同理想，追求“大道之行也，天下为公”③的大同社会。

---

① （宋）朱熹撰：《四书章句集注》，中华书局1983年版，第3页。

② （宋）朱熹撰：《四书章句集注》，中华书局1983年版，第4页。

③ （清）朱彬撰：《礼记训纂》，中华书局1996年版，第331页。

（三）深刻认识中华优秀传统文化的时代价值

深刻认识中华优秀传统文化的时代价值，是加强中华优秀传统文化教育的前提。

中华优秀传统文化是维系中华民族团结奋进的精神纽带。中华优秀传统文化的基本内容主要包括儒、道、佛三大家思想中的精华，儒家思想构成了中华优秀传统文化的基本精神和主体框架。中华优秀传统文化融合形成了中华民族独特的向心力、凝聚力、共同的理想信念，熔铸塑造了中华民族的民族精神、思想观念、价值追求，引领、融通、聚合、形成了中华民族强大的文化引导力和精神原动力。

中华优秀传统文化是实现中国梦的精神力量之源。习近平主席在联合国教科文组织总部的演讲中指出："没有文明的继承和发展，没有文化的弘扬和繁荣，就没有中国梦的实现。"[①] 这一精辟论断，简明而又深邃地指明了弘扬中华优秀传统文化与实现中国梦的关系。实现中国梦，是物质文明和精神文明比翼双飞的发展过程，需要文化旗帜引领，需要文化精神激励，需要文化软实力支撑，更需要文化的认同和凝聚。

中华优秀传统文化是建设社会主义核心价值观的重要源泉。党的十八大报告指出："倡导富强、民主、文明、和谐，倡导自由、平等、公正、法治，倡导爱国、敬业、诚信、友善，积极培育和践行社会主义核心价值观。"[②] 这一表达分别从国家、社会、公民三个层面阐述了社会主义核心价值观的内涵，是在汲取中华优秀传统文化丰富营养基

---

① 习近平：《在联合国教科文组织总部的演讲》，《人民日报》2014 年 3 月 28 日。

② 胡锦涛：《坚定不移沿着中国特色社会主义道路前进 为全面建成小康社会而奋斗——在中国共产党第十八次全国代表大会上的报告》，《人民日报》2012 年 11 月 18 日。

础上的发展和完善，是中华优秀传统文化在当代的传承和发扬。培育和弘扬社会主义核心价值观，必须立足于中华优秀传统文化。这是党中央立足国内国际两个大局，站在历史、现实和未来的时空交汇点上高瞻远瞩，对核心价值观教育作出的战略设计、历史定位和未来发展的方向性指引，是今后培育和弘扬社会主义核心价值观的战略出发点和落脚点。

四、如何加强中华优秀传统文化教育

加强中华优秀传统文化教育，是当前我们面临的重要历史任务和重大时代要求，必须坚持知行合一，即认识与实践相统一、科学性与艺术性相统一、可操作性与可接受性相统一。

（一）加强中华优秀传统文化教育，必须认真学习领悟、深入阐发中华优秀传统文化的思想精华和文化精髓

要讲清楚中华优秀传统文化的历史渊源、发展脉络、基本走向，讲清楚中华文化的独特创造、价值理念、鲜明特色。要处理好继承和创新的关系，实现中华优秀传统文化创造性转化和创新性发展。

（二）加强中华优秀传统文化教育，必须继承和弘扬中华优秀传统美德

加强全社会的思想道德建设，激发人们形成善良的道德意愿、道德情感，培育正确的道德判断和道德责任，提高道德实践能力尤其是自觉践行能力，引导人们向往和追求讲道德、遵道德、守道德的生

活，形成向上、向善的力量。

（三）加强中华优秀传统文化教育，必须加强爱国主义、集体主义、社会主义教育

坚持以事启人、以情感人、以理服人、以行导人，引领人民群众树立和坚持正确的历史观、民族观、国家观、文化观，不断增强做中国人的骨气、底气和朝气。

（四）加强中华优秀传统文化教育，必须树立文化自觉、增强文化自信

用博大精深、源远流长的中华优秀传统文化滋养自己，让扎根中国大地、具有时代精气神的中华优秀传统文化成为我们实现民族复兴、增进人类福祉的坚实根基。

（五）加强中华优秀传统文化教育，必须将其贯穿国民教育全过程

特别是在学校教育中，要践行全员育人、全程育人、全方位育人。加强中华优秀传统文化类课程和教材体系建设，在中小学全面开展中华优秀传统文化进教材、进课堂、进头脑工作，在高校开设中华传统文化类课程，为学生提供丰富选择。把中华优秀传统文化全方位融入思想道德教育、文化知识教育、艺术教育、体育、社会实践教育各环节，贯穿启蒙教育、基础教育、职业教育、高等教育、继续教育各领域。

（六）加强中华优秀传统文化教育，必须充分调动全社会的积极性和创造性

加大宣传教育力度，讲活中国故事。坚持全党动手、全社会参与，把中华优秀传统文化教育的各项任务分解、落实到农村、企业、社区、机关、学校等，形成齐抓共管、共建共享的新局面。

“不畏浮云遮望眼，自缘身在最高层。”中华优秀传统文化是中华民族的血脉和灵魂，是我国全面建成小康社会、加快推进社会主义现代化、实现中华民族伟大复兴中国梦的内驱力的精神之源，也是中华文化走出去的外驱力的力量之源。我们坚信，通过加强中华优秀传统文化教育，深入学习习近平总书记关于教育的重要论述，中华儿女一定会不忘初心，继续前进，求真务实，攻坚克难，为更好地共圆中国梦、构建人类命运共同体，作出新的更大的业绩和贡献。

第十七章

扩大教育对外开放

今天的世界是各国共同组成的命运共同体。战胜人类发展面临的各种挑战，需要各国人民同舟共济、携手努力。教育应该顺此大势，通过更加密切的互动交流，促进对人类各种知识和文化的认知，对各民族现实奋斗和未来愿景的体认，以促进各国学生增进相互了解、树立世界眼光、激发创新灵感，确立为人类和平与发展贡献智慧和力量的远大志向。

——习近平主席致清华大学苏世民学者项目启动的贺信

教育对外开放是我国改革开放事业的重要组成部分。教育事业既在对外开放中发展壮大，又在对外开放中走向世界。党的十八大以来，习近平总书记对做好教育对外开放工作高度重视，对教育对外开放工作多次作出重要批示，审议有关重要文件，致电致信重要会议和活动，会见重要外国专家，在国际会议和外交场合阐发中国主张，这些实践和观点有力推动了我国教育对外开放工作大步前行。其中形成的关于教育对外开放的系统论述，是习近平总书记关于教育的重要论述的有机组成部分。

一、在构建人类命运共同体视野下树立新时代教育对外开放观

如何认识教育对外开放的地位和作用？这与我们在世界上的位置以及我们对世界的认知有着直接的关系。当我们的国家还没有站起来的时候，教育与世界的交流情况我们记忆犹新；当我们国家刚刚站起来的时候，教育与世界的交流主要还是学习，在学习中求索符合中国实际的发展道路。经过长期奋斗，我们迎来了从站起来、富起来到强起来的伟大飞跃，我们的国家正大步走近世界舞台的中央。新时代的到来，改变着中国人的“地球观”。对我国教育与世界关系的认知

和实践也应当因时而新、因势而进。党的十八大报告首次提出“倡导人类命运共同体意识”的重要命题。[①] 这是在对世界格局变化准确判断基础上提出的时代任务。和平与发展是时代主题，当今世界充满希望，也充满挑战，没有哪个国家能够独自应对人类面临的各种挑战，也没有哪个国家能够退回到自我封闭的孤岛。这个重大判断决定着我们对国际事务的基本政策。党的十九大报告进一步明确把“坚持推动构建人类命运共同体”作为新时代坚持和发展中国特色社会主义的一个基本方略。[②] 站在这样宏大的背景下，教育对外开放“会当凌绝顶”，有了前所未有的广阔视野和至高境界。

2013 年 4 月 21 日，习近平主席在致清华大学苏世民学者项目启动的贺信中站在人类社会发展的高度指出，今天的世界是各国共同组成的命运共同体。战胜人类发展面临的各种挑战，需要各国人民同舟共济、携手努力。教育应该顺此大势，通过更加密切的互动交流，促进对人类各种知识和文化的认知，对各民族现实奋斗和未来愿景的体认，以促进各国学生增进相互了解、树立世界眼光、激发创新灵感，确立为人类和平与发展贡献智慧和力量的远大志向。[③] 这是习近平总书记站在构建人类命运共同体的高度对教育使命和青年成长提出的希望和要求，指明了教育对外开放的战略方向。

---

① 胡锦涛:《坚定不移沿着中国特色社会主义道路前进　为全面建成小康社会而奋斗——在中国共产党第十八次全国代表大会上的报告》,《人民日报》2012 年 11 月 18 日。

② 习近平:《决胜全面建成小康社会　夺取新时代中国特色社会主义伟大胜利——在中国共产党第十九次全国代表大会上的报告》,《人民日报》2017 年 10 月 28 日。

③ 《清华大学苏世民学者项目启动仪式在京举行》,《人民日报》2013 年 4 月 22 日。

二、新时代国际教育交流合作肩负着更加重大的使命

国之交在于民相亲，民相亲在于心相通。心相通的深层基础是文化，关键在教育。习近平总书记在国际国内反复阐明要以文明交流超越文明隔阂、以文明互鉴超越文明冲突、以文明共存超越文明优越，推动各国相互理解、相互尊重、相互信任。“世界上有 200 多个国家和地区，2500 多个民族和多种宗教。如果只有一种生活方式，只有一种语言，只有一种音乐，只有一种服饰，那是不可想象的”。[①] 而实现文明之间的和谐共存和互学互鉴，基础在教育。依靠教育使不同国家、不同文明的人群族群达到文化理解和民心相通。在新时代，国际教育交流合作肩负着更加重大的使命。

世界的希望在青年，教育的主要对象是青年，教育对外开放的工作重点在青年。习近平总书记特别强调要加强青年学生的国际理解教育，增进青年学生对不同国家、不同文化的认识和理解；不仅要促进中外语言互通，更要深入推进学校教育的深度合作与人文交流，在青少年的心中打牢相互尊重、相互学习、热爱和平、维护正义、共同进步的思想根基。这也是构建人类命运共同体的思想基础、文化基础和情感基础。

“一带一路”倡议是我国对外开放的重点，教育对外开放工作也在扩大对“一带一路”沿线国家的交流中不断拓展。改革开放之初，我们主要是向西方发达国家学习，留学人员主要流向欧美发达国家。随着国家的发展，我们从“跟跑”到“并跑”再到在某些方面“领跑”，教育对外开放的活动半径不断扩大，交流深度不断增加。我们不仅

① 习近平：《在联合国教科文组织总部的演讲》，《人民日报》2014 年 3 月 28 日。

与发达国家继续深入交流合作，而且与其他国家不断扩大交流合作，“一带一路”沿线国家成为扩大教育交流合作的重点。

三、党的十八大以来教育对外开放取得新成就

新时代教育对外开放的思想理念和政策措施有力推动了教育对外开放的健康发展。党的十八大以来，教育对外开放取得显著进步：

（一）对外开放机制不断创新，人文交流事业跨越发展

截至 2018 年年底，我国与 188 个国家和地区建立了教育交流与合作关系，与 46 个重要国际组织开展教育合作与交流，与 51 个国家和地区签署了学历学位互认协议。积极参与国际教育规则制定，提出 2030 教育可持续发展指标“中国方案”。① 人文交流已与政治互信、经贸合作一道成为我国外交的三大支柱，为面向 21 世纪全球战略伙伴关系的发展提供了支撑。

（二）双向留学工作迈上新台阶

2018 年我国出国留学人员总数 66.21 万，各类留学回国人员 51.94 万，② 各类来华留学人员 49.2 万。③ 我国已成为世界最大留学生

---

① 陈宝生：《落实　落实　再落实——在 2019 年全国教育工作会议上的讲话》，《中国教育报》2019 年 1 月 31 日。

② 《2018 年度我国留学人员出国回国人数均上涨》，《中国教育报》2019 年 3 月 28 日。

③ 参见《2018 年来华留学统计》，教育部网，见 http://www.moe.edu.cn/jyb_xwfb/gzdt_gzdt/s5987/201904/t20190412_377692.html。

输出国，同时也成为亚洲最大的留学目的地国。

（三）服务“一带一路”倡议取得新进展

2016年7月，教育部印发《推进共建“一带一路”教育行动》，已基本实现主要节点省份签约全覆盖，构建了全国“一带一路”教育行动网。截至2018年年底，我国已与24个“一带一路”沿线国家签署高等教育学位学历互认协议。已在“一带一路”沿线65个国家中的52国，设立140所孔子学院和135个孔子课堂。①

中外合作办学的规模和水平取得双提高。截至2017年年底，经教育部审批设立的中外合作办学机构和项目2600个。海外办学迈出实质性步伐，已举办100多个本科以上境外办学机构和项目。② 在习近平主席和约旦国王共同见证下，中约两国签署共建“中约大学”框架协议并开始筹建，厦门大学马来西亚分校等已开始招生，英国政府自2014年以来每年邀请上海数学教师前去讲学等，反映出我国教育的影响力不断扩大。

至2018年年底，我们已在154个国家和地区建立了548所孔子学院和1193个孔子课堂。③ 正如习近平总书记评价的那样：“孔子学院是世界认识中国的一个重要平台。”④

教育对外开放对国家建设的影响是全方位的，有的是显性的，如

---

① 陈宝生：《落实　落实　再落实——在2019年全国教育工作会议上的讲话》，《中国教育报》2019年1月31日。

② 陈宝生：《在全国教育工作会议上的讲话》，《中国教育报》2018年2月7日。

③ 参见《孔子学院：拓宽中外语言文化交流之路》，《光明日报》2018年12月7日。

④ 《习近平出席全英孔子学院和孔子课堂年会开幕式》，《人民日报》2015年10月23日。

对我国教育，特别是高等教育自身发展的促进，是显而易见的，无论是人才队伍建设还是办学管理，都与对外开放密不可分；也有许多是隐性的，正如习近平总书记所说的那样，不同文化的交流会发生奇妙的“化学反应”，改变着人们的思维方式和生活方式，促进着人类文明的进步。教育对外开放成绩斐然，但在服务国家重大外交战略、参与教育领域全球治理、推动构建人类命运共同体，更好地满足人民群众多样化、高质量教育需求，更好地服务经济社会发展全局等方面还存在认识不高、能力不足的问题，教育对外开放的质量和效益还不高，一些重大政策措施还有待进一步落实。

四、中国教育应为构建人类命运共同体作出特殊贡献

在党的十九大报告中，习近平总书记指出：“中国共产党是为中国人民谋幸福的政党，也是为人类进步事业而奋斗的政党。中国共产党始终把为人类作出新的更大的贡献作为自己的使命。”① 并重申“坚持和平发展道路，推动构建人类命运共同体”② 的外交理念和外交政策，把中国人民的利益同各国人民的共同利益高度结合，赋予了中国特色社会主义更加深刻的世界意义，彰显了中国共产党的国际情怀与全球担当，反映了中国特色社会主义的价值追求。这些论断对于审视和促进我国教育的对外开放具有重要的理论意义和实践导向。新时代

① 习近平：《决胜全面建成小康社会　夺取新时代中国特色社会主义伟大胜利——在中国共产党第十九次全国代表大会上的报告》，《人民日报》2017 年 10 月 28 日。

② 习近平：《决胜全面建成小康社会　夺取新时代中国特色社会主义伟大胜利——在中国共产党第十九次全国代表大会上的报告》，《人民日报》2017 年 10 月 28 日。

中国教育如何统筹国内国际两个大局，坚持扩大开放，做强中国教育，为实现“两个一百年”奋斗目标和中华民族伟大复兴中国梦提供有力支撑，是中国教育应该担当的责任与使命。中国教育，特别是高等教育应以世界情怀和全球担当开阔眼界、拓宽思路，努力成为构建人类命运共同体的实践者、贡献者和先行者。要认清大势，提高站位。我们已经进入了中国特色社会主义新时代，这是党的十九大作出的重大判断，依据是社会主要矛盾发生了变化。这个新时代是属于中国的，是全体中华儿女勠力同心、奋力实现中华民族伟大复兴中国梦的时代；这个新时代也是属于世界的，是中国日益走近世界舞台中央、不断为人类作出更大贡献的时代。当今的世界，已经不只是一个互相联系的世界，而且已经是一个互相依存的世界。国际和国内的这些深刻变化就是教育对外开放所处的“时”和“势”。我们的思想观念、政策举措都要顺此大势，不能“身子进入新时代、脑袋不入新时代”。

党的十八大以来，我国全面推进中国特色大国外交，形成了全方位、多层次、立体化的外交布局，为我国发展营造了良好的国际环境，为进一步做好教育对外开放工作奠定了坚实基础。面向未来，教育对外开放要按照党的十九大确定的方向，以更高的站位、更宽的视域、更远的眼光，认真谋划，拓展工作思路，既坚持已有的成功做法，对标新形势新要求找不足、出新招，以更积极主动的姿态担当起新时代的新使命。

（一）要互学互鉴、自立自强

教育对外开放，是不同国家之间相互学习、相互借鉴、谋求共同发展的过程。对我们国家来说，开放就是促进发展的过程。我们今天有满满的自信，是因为我们有自立自强，因为我们有能够说服人的成就证明我们的理论和道路是正确的。否则，自信就会变成自大。因此，做好教育对外开放，首先要做好我们自己的教育。党的十九大报告首次以党的代表大会的方式明确建设教育强国的宏伟目标，指出“建设教育强国是中华民族伟大复兴的基础工程”，[①]要“加快教育现代化，办好人民满意的教育”。[②]这是党中央在新时代对教育提出的总要求，教育对外开放要服务这个总要求。在对外开放的过程中，要有“不要人夸颜色好，只留清气满乾坤”的胸襟和定力，坚持“中国特色、世界水平”，遵循教育规律，形成更加深刻的教育思想理念、更加丰富的方法举措，真正建成教育强国，给世界上那些既希望加快发展，又希望保持独立性的国家和民族走向教育现代化提供可借鉴的途径，为全球教育发展提供中国经验、作出更大贡献。

（二）要抓住重点、创新推动

教育的对外开放既是我国教育事业的重要组成部分，同时也是我国对外开放事业的重要组成部分。教育对外开放，既要服从、服务教育发展大局，同时又要服从、服务国家外交工作大局。中国特色大国外交是全方位、多层次和立体化的，致力于发展全球伙伴关系，扩大同各国的利益交汇点，既要推进大国协调和合作，又要深化同周边国家的关系，还要加强同发展中国家的团结合作。教育对

---

① 习近平：《决胜全面建成小康社会 夺取新时代中国特色社会主义伟大胜利——在中国共产党第十九次全国代表大会上的报告》，《人民日报》2017年10月28日。

② 习近平：《决胜全面建成小康社会 夺取新时代中国特色社会主义伟大胜利——在中国共产党第十九次全国代表大会上的报告》，《人民日报》2017年10月28日。

外开放应当与这种全球伙伴关系相适应，创新教育对外开放的途径和形式，构建全方位的开放格局。“一带一路”倡议是国际合作新平台，为进一步促进“一带一路”倡议的进展，教育特别是高等教育要主动作为、创新作为，提供智力、人力、技术、文化、情感等多方面的支持，提供有效的教育助力。我们还要加大对发展中国家特别是最不发达国家的教育援助力度，促进缩小南北发展差距，履行应尽的国际义务。

（三）要提质增效、着力做好

在推动构建人类命运共同体的过程中，教育最核心的价值、最根本的作用是人才培养。习近平主席在联合国教科文组织总部的演讲中指出：“我们要积极发展教育事业，通过普及教育，启迪心智，传承知识，陶冶情操，使人们在持续的格物致知中更好认识各种文明的价值，让教育为文明传承和创造服务。”① 这就阐明了教育在促进人类和平与发展中的作用，也阐明了教育对外开放合作的价值所在。习近平总书记在全国教育大会上指出，要扩大教育开放。② 教育对外开放关键是提高质量，而不是盲目扩大规模。质量是教育对外开放的生命线。要以提高教育对外开放的质量和效益为主要目标，在不断“扩大”开放的基础上着力于“做好”教育对外开放工作。“做好”这两个字，不仅是量的要求，更是质的要求。围绕“提质增效”，要创新思路，打造若干具有中国特色世界水平的对外开放教育品牌项目；在

① 习近平：《在联合国教科文组织总部的演讲》，《人民日报》2014 年 3 月 28 日。

② 《习近平在全国教育大会上强调　坚持中国特色社会主义教育发展道路　培养德智体美劳全面发展的社会主义建设者和接班人》，《人民日报》2018 年 9 月 11 日。

服务“一带一路”中，要从战略高度统筹规划我国高校吸纳“一带一路”沿线国家来华留学生的学科专业，做强与“一带一路”密切相关的特色学科专业，使留学生在华学得好，回国用得上，发挥好作用。

对外开放是中国的基本国策，中国对外开放的大门只会越开越大，教育在其中必将大有作为。只要我们扎实践行，一件事情接着一件事情办，一年接着一年干，就一定能谱写出教育对外开放的华彩新篇章。

后　记

《深入学习习近平关于教育的重要论述》是教育部课题组的阶段性研究成果。教育部党组书记、部长陈宝生同志担任课题组长，并为本书作序。本书导言由翟博撰写，总论，以习近平总书记关于教育的重要论述指引中国教育前进方向，由顾明远撰写。各章撰写人员如下：第一章，坚持党对教育事业的全面领导，陈子季；第二章，坚持把立德树人作为教育的根本任务，张志勇；第三章，坚持优先发展教育事业，闵维方；第四章，坚持社会主义办学方向，杨银付；第五章，坚持扎根中国大地办教育，冯刚、陈步云；第六章，坚持以人民为中心发展教育，赖德胜、李廷洲；第七章，坚持深化教育改革创新，王炳林、郝清杰；第八章，坚持把服务中华民族伟大复兴作为教育的重要使命，周作宇；第九章，坚持把教师队伍建设作为基础工作，朱永新；第十章，加快教育现代化，张力；第十一章，建设教育强国，王嘉毅；第十二章，办好人民满意的教育，曾天山；第十三章，推进教育公平，周洪宇；第十四章，全面提高教育质量，田慧生；第十五章，培育和践行社会主义核心价值观，石中英；第十六章，加强中华优秀传统文化教育，翟博；第十七章，扩大教育对外开放，瞿振元。本书由杨桂青编辑、校改，由翟博统稿。

本书在写作、出版过程中得到了中央有关部门的悉心指导和大力支持。人民出版社高度重视本书出版，总编辑辛广伟同志多次对书稿内容提出宝贵修改意见，对著作出版给予了大力支持。在此一并致谢！

习近平总书记关于教育的重要论述内容十分广博，同时又在不断地丰富和发展过程中。本书的研究仅仅是一个开始，肯定存在不足之处，欢迎广大读者特别是专家学者、教育工作者提出宝贵的意见和建议，以利于对习近平总书记关于教育的重要论述的学习、贯彻、落实、研究更进一步地走向深入。

教育部课题组

2019 年 3 月

责任编辑：毕于慧
封面设计：王欢欢
版式设计：汪　莹
责任校对：吕　飞

图书在版编目（CIP）数据

深入学习习近平关于教育的重要论述／教育部课题组 著．—北京：人民出版社，2019.5（2019.6 重印）
ISBN 978－7－01－020655－4

I. ①深…　II. ①教…　III. ①习近平－讲话－学习参考资料②教育事业－中国－学习参考资料　IV. ① D2–0 ② G52

中国版本图书馆 CIP 数据核字（2019）第 063764 号

深入学习习近平关于教育的重要论述
SHENRU XUEXI XIJINPING GUANYU JIAOYU DE ZHONGYAO LUNSHU

教育部课题组　著

人民出版社 出版发行
（100706　北京市东城区隆福寺街 99 号）

中煤（北京）印务有限公司印刷　新华书店经销

2019 年 5 月第 1 版　2019 年 6 月北京第 4 次印刷
开本：710 毫米 ×1000 毫米 1/16　印张：17.5
字数：219 千字

ISBN 978－7－01－020655－4　定价：45.00 元

邮购地址 100706　北京市东城区隆福寺街 99 号
人民东方图书销售中心　电话（010）65250042　65289539